VARDA FISZBEIN

El ayuno intermitente

EDICIONES OBELISCO

Si este libro le ha interesado y desea que le mantengamos informado
de nuestras publicaciones, escríbanos indicándonos qué temas son de su interés
(Astrología, Autoayuda, Psicología, Artes Marciales, Naturismo,
Espiritualidad, Tradición…) y gustosamente le complaceremos.

Puede consultar nuestro catálogo en www.edicionesobelisco.com

*Los editores no han comprobado la eficacia ni el resultado de las recetas,
productos, fórmulas técnicas, ejercicios o similares contenidos en este libro.
Instan a los lectores a consultar al médico o especialista de la salud ante
cualquier duda que surja. No asumen, por lo tanto, responsabilidad alguna
en cuanto a su utilización ni realizan asesoramiento al respecto.*

Colección Salud y Vida natural
EL AYUNO INTERMITENTE
Varda Fiszbein

1.ª edición: abril de 2021

Corrección: *M.ª Jesús Rodríguez*
Diseño de cubierta: *TsEdi, Teleservicios Editoriales, S. L.*

Edita: Ediciones Obelisco, S. L.
Collita, 23-25. Pol. Ind. Molí de la Bastida
08191 Rubí - Barcelona - España
Tel. 93 309 85 25
E-mail: info@edicionesobelisco.com

ISBN: 978-84-9111-725-4
Depósito Legal: B-7.923-2021

Impreso en los talleres gráficos de Romanyà/Valls S. A.
Verdaguer, 1 - 08786 Capellades - Barcelona

Printed in Spain

Introducción

Hace ya unos cuantos años que se comenzó a hablar del ayuno intermitente como fórmula para perder peso; pero se ha ido verificando cada vez con mayor certeza que, además, esta forma de alimentarse proporciona grandes beneficios para la salud en general, desempeña un importante papel en la prevención de enfermedades de diverso tipo e, incluso, mejora la calidad de vida, el estado de ánimo e incrementa la longevidad. Y todo esto explica que en la actualidad sea una de las maneras de comer cada vez más popular que gana adeptos día tras día.

Sin embargo, muchas personas se alarman cuando se menciona la palabra «ayuno», porque inmediatamente la asocian con insatisfacción, hambre, mal humor y otras reacciones negativas, tanto de índole física como anímica.

Pero, acaso, ¿no practicamos de manera natural un ayuno intermitente? Claro que lo hacemos, a diario, y lo hemos incorporado a nuestra rutina cotidiana sin que eso nos provoque ningún problema. Durante el sueño no comemos, mientras dormimos ayunamos, y todos somos conscientes de que «darle descanso» al aparato digestivo es muy beneficioso, nos hace sentir ligeros y nos genera bienestar.

Entre la cena y el desayuno no ingerimos alimentos, y si, como sucede en muchos casos la cena es temprana, podemos pasar unas cuantas horas sin comer, y no nos sentimos especialmente afectados, porque no tenemos conciencia, no consideramos que ése en sí mismo sea un ayuno intermitente no planificado, que nos pase desapercibido y que hasta necesitemos, pero, a fin de cuentas, es una forma de ayuno. Es un hábito que ya tenemos incorporado y nos resulta absolutamente normal.

En este libro te contaremos todo lo que tienes que saber sobre el ayuno intermitente. En qué consiste, los diversos métodos de practicarlo, los patrones horarios en cada jornada o el ayuno durante un día completo de la semana, comiendo el resto de los seis días como siempre, cuáles son los menús y los alimentos más adecuados, y otras pautas para introducir esta beneficiosa forma de comer en tu vida. Además, incluimos recetas sabrosas y saludables para llevarlo a cabo.

Y eso, sin pasar hambre, sin caer en la ansiedad y el mal humor, sino todo lo contrario, ganando en energía y actividad, perdiendo peso y quemando grasas nocivas.

Se trata, entonces, de incorporar los ayunos intermitentes planificados y con objetivos concretos, que nos ofrezcan el beneficio de una vida más sana, más equilibrada y más longeva.

1. El ayuno intermitente: Una nueva forma de comer

Nuestro organismo sigue habitualmente dos pautas relacionadas con la comida: comer/ no comer. La primera de ellas arroja como resultado que el organismo se siente alimentado y satisfecho y, a partir de ese momento, comienza a producirse un proceso que se ha iniciado al ingerir los alimentos, continúa con su digestión y, dependiendo de cada persona, entre las tres y las cinco horas siguientes no requiere volver a alimentarse; es decir, no sentimos hambre. Estamos como decimos coloquialmente «llenos».

En esta situación, aumenta el nivel de insulina que se convierte en glucosa, y esta sustancia actúa como combustible para el funcionamiento orgánico. La glucosa es suficiente para que se produzca dicho funcionamiento y no es indispensable quemar grasas para tener la suficiente energía y realizar todo aquello que debemos hacer. De manera que, durante los períodos en que comemos, las grasas que tenemos almacenadas permanecen inalteradas, nada las requiere ni hace falta consumirlas.

Pero unas horas después –entre tres y cinco como se ha dicho y a veces más, dependiendo de si la digestión es más lenta o más rápida o de la calidad y el tipo de los alimentos ingeridos–, el nivel de insulina decrece, sentimos hambre y necesitamos alimentarnos otra vez. Los productos más saciantes son los que nos aportan proteína vegetal, carbohidratos y vitaminas, tales como las legumbres, los cereales integrales, las verduras y las frutas. Otros, como los llamados alimentos vacíos, es decir que no aportan nutrientes como las proteínas, las vitaminas o los minerales, y sí muchas calorías, se digieren rápidamente, y necesitamos comer más a menudo.

Entre los alimentos vacíos sin nutrientes más populares destacan: los refrescos, el alcohol salvo la cerveza, la sidra y el vino (que aportan vitaminas), las infusiones como el té o el café y todos los *snacks*, que además están cargados de sal y azúcar en grandes cantidades.

En los períodos en que no comemos, por ejemplo entre la cena y el desayuno, aunque estemos durmiendo, nuestro cuerpo también va gastando reservas y, una vez que agota el azúcar que aún le queda de los alimentos ingeridos anteriormente, recurre a las grasas acumuladas.

Eso supone que, cuanto más tiempo estemos sin reponer alimentos y sin que el organismo tenga disponible la glucosa que proporciona su ingestión, más cantidad de grasas almacenadas quemaremos. Por lo tanto, una cena temprana y un retraso en el desayuno hasta llegar a un intervalo de 16 horas sin comer, o cuanto más prolonguemos el ayuno, entre la cena y el desayuno, más probabilidades tenemos de deshacernos de las grasas insalubres para nuestros sistemas orgánicos, y antiestéticas para nuestro aspecto.

Existe información fehaciente de que con la práctica del ayuno intermitente, cada kilo de peso que perdemos está compuesto entre un 85 y un 100 % de grasa.

Antes de intentar llevar a cabo un ayuno intermitente planificado, puedes ir paso a paso y probar a no cenar una o varias noches a la semana o con la periodicidad con la que sientas mayor comodidad y desayunes a la hora temprana habitual. Es una forma de perder el miedo a tener hambre.

También puedes elegir saltarte alguna comida en mitad del día, para «ir practicando»; eso fortalecerá tu seguridad en que no te sentirás mal o con falta de energía y de mal humor. Si, cuando comes lo haces de una manera equilibrada y eligiendo platos compuestos por los alimentos adecuados, de los que más adelante te daremos una lista, podrás enfrentarte al reto que imaginas difícil del ayuno intermitente y que, en realidad, no lo es; por el contrario, es fácil, placentero y hará que te sientas en forma.

2. Más que una dieta para perder peso

A lo largo de la historia son numerosos los ejemplos de ayuno que han recomendado y practicado diversas culturas y tradiciones religiosas, generalmente con el objetivo de conseguir la pureza espiritual.

También hallamos que en el reino animal, en ocasiones, se produce una ausencia de ingestión natural de alimentos durante períodos determinados, horas del día, varias jornadas e incluso entre los animales que hibernan durante largos períodos al año, que según las especies se prolongan hasta varios meses.

Nosotros mismos hemos experimentado falta de ganas de comer cuando atravesamos alguna época en que nos notamos enfermos o sentimos malestar; y nos damos cuenta de que eso nos hace bien, que nuestro organismo escoge de manera natural no comer para hacer mejor su tarea de limpiarse y curarse.

Más allá de la popularidad que han alcanzado actualmente las dietas basadas en ayunos, la ciencia ha probado los efectos beneficiosos de esta práctica. El citólogo y bioquímico británico Christian De Duve, Premio Nobel de medicina, descubrió durante sus investigaciones los liposomas. Éstos son unos pequeños organismos encargados de la digestión de las células; los liposomas eliminan los virus, las bacterias y otros desechos, reciclándolos en nuevas moléculas sanas para que puedan funcionar a pleno rendimiento. Es decir, que realizan una tarea no sólo de limpieza sino también de reparación.

En esa premisa se basa la «autofagia», una palabra de origen griego compuesta por las raíces *auto* ('uno mismo') y *phagos* ('comer'), concepto que en los últimos tiempos ha hecho que crezca su interés en el ámbito científico.

Puede sorprendernos un poco si consideramos su significado literal «comerse a uno mismo»; sin embargo, es un proceso sumamente positivo y que se produce durante el ayuno.

Concretamente, la limpieza que las células del organismo realizan para sanarse y renovarse consiste en comerse lo que ya no les sirve porque se ha deteriorado o dañado y, por lo tanto, no puede realizar sus funciones con la debida eficacia. Por el contrario, si persistiera el deterioro, la acumulación de los desechos perjudicaría gravemente nuestra salud, intoxicándonos con sustancias inservibles y nocivas.

Al comer, la autofagia continúa realizándose, pero a un ritmo mucho más lento o, dicho de otra manera, al ayunar ocurre lo opuesto, es decir, se propicia y acelera esta función y éste es uno de los motivos por los que el ayuno intermitente se considera tan positivo para el buen desarrollo de todos los procesos orgánicos, en suma, para mantener una buena salud.

Pero, en concreto, ¿a qué procesos contribuye positivamente y nos beneficia la autofagia? A un buen número de ellos, tales como a la regulación del metabolismo y la quema de grasas; a la regeneración muscular; al correcto funcionamiento cerebral; a la mejora del sistema inmunitario, colaborando en la lucha contra enfermedades de diverso tipo, algunas de ellas muy graves como la diabetes o el cáncer, entre otros efectos positivos.

A continuación expondremos de manera más detallada la influencia benéfica del ayuno intermitente en la salud.

3. ¿Cómo influye el ayuno intermitente en nuestro organismo?

a) Disminuye el riesgo de sufrir enfermedades neurodegenerativas como el párkinson y el alzhéimer, porque mejora la función cerebral, estimulando así el crecimiento de las células cerebrales.

b) Mantiene estable el nivel de azúcar en la sangre, lo que previene la diabetes. Es beneficioso también para las personas que sufren de hipertensión o asma.

c) Como se ha dicho, al ayunar y favorecer la autofagia, eliminándose más rápidamente los desechos celulares, se contribuye a la reducción de los procesos inflamatorios y se propicia que la flora intestinal se mantenga con una buena salud.

d) Al consumir una menor cantidad de calorías y, por lo tanto, provocar que el organismo tenga menos glucosa disponible para funcionar, se aprovechan las grasas acumuladas para obtener emergía, y eso genera un aumento en la masa muscular que reemplaza la grasa y conduce a la pérdida de peso.

e) El sistema inmunitario se fortalece porque aumenta su capacidad de producir más glóbulos blancos, que nos defienden de las infecciones y otros patógenos.

f) Ante los ayunos a largo plazo, el metabolismo aprende que no le llegarán refuerzos en forma de alimentos, por lo tanto, sufre una ralentización y gasta menos; mientras que al ayunar de manera intermitente, el metabolismo se acelera y gasta más reservas de grasa acumuladas.

Todos estos factores pueden resumirse en un único concepto: nuestro cuerpo recibe un gran beneficio antiedad al realizar los ayunos intermitentes.

4. El cambio de rutina en la alimentación

El organismo de cada persona conoce perfectamente el funcionamiento de su propio metabolismo que, por decirlo de algún modo, sigue unas «costumbres» asociadas a la forma de comer que tenemos, a los ritmos y las rutinas de nuestra alimentación habitual; es decir, que ha aprendido cuáles son las franjas horarias en las que ingerimos los alimentos y cuáles no.

Por esa razón, en ocasiones puede haber pequeños desajustes o problemas para adecuarse a las nuevas pautas que se siguen durante los ayunos intermitentes.

En primer lugar, es muy importante deshacerse del hábito tan común de tomar esos bocaditos, ese picoteo entre horas.

Son muchas las personas que hacen tres o cuatro comidas al día pero entre ellas toman un dulce, una pasta, un tentempié, todo ello sin que lo consideren comida como tal; además, la mayoría de las veces ni siquiera los toman porque sienten apetito; por ejemplo, después de la cena y antes de irse a dormir hay quien «necesita» comer algo, lo que es más una costumbre adquirida que una verdadera necesidad de comer porque se tiene hambre.

Después de unos cuantos días en que solamente hagamos las comidas habituales, sin tomar nada entre horas, habremos avanzado hacia el objetivo.

A continuación, resulta conveniente alargar las horas entre las comidas; por ejemplo, si comemos cinco veces al día convertir esa pauta en cuatro comidas; si, en lugar de ello, hacemos cuatro comidas, reducirlas a tres alargando los períodos en que no ingerimos alimentos.

Cuando hayan pasado unos días, si notamos que hemos tenido éxito y comprobamos que ni estamos de mal humor ni sentimos hambre, es el momento de emprender ya el ayuno intermitente.

Si aún tenemos dudas acerca de la consecución de la meta, de si podemos «aguantar», nuestra sugerencia es comenzar por la modalidad más fácil y llevadera que es la conocida como 12/12, tal como se describe pormenorizadamente en el punto correspondiente a las diversas fórmulas de ayunos de este tipo.

Sencillamente se divide en dos partes el día de 24 horas y durante las 12 horas correspondientes al período de alimentación –entre el desayuno y la cena– se hacen las 3 o 4 comidas de costumbre y NO se ingiere nada más. Y en las 12 horas restantes se ayuna.

Prácticamente no lo notamos: si cenamos entre las 8 o las 9 de la noche, e incluso un poco más tarde, es obvio que no solemos irnos directamente a dormir; siempre hay un rato en que tenemos algo de qué ocuparnos o dedicamos ese lapso de tiempo a la familia, la charla o al ocio.

Luego tenemos las 7 u 8 horas de sueño, según lo que acostumbra a dormir cada persona, lo que consume las dos terceras partes del período de ayuno; de modo que al levantarnos a la mañana siguiente es posible que ya hayan pasado las 12 horas de ayuno, o que falte muy poco para que se cumplan. Y, si no es así, entre el tiempo que empleamos en ducharnos, vestirnos y preparar un buen desayuno, ya nos lo estaremos comiendo.

Algunas personas no necesitan hacer una adaptación o se sienten preparadas para cambiar radicalmente su rutina y eligen cualquiera de las fórmulas de ayuno intermitente que se describen a continuación. E incluso las hay que, por recomendación médica o con una guía experta, inician esta manera de alimentarse, ayunando completamente durante un período variable de tiempo que puede variar entre un día entero hasta una semana, en la que solamente beben agua y, en ocasiones, líquidos en forma de infusiones o caldo.

El doctor en medicina, especializado en terapias naturales y psicoterapia, Ruediger Dahlke, que dirige un centro de curación natural y ayunos en Austria, recomienda vivamente esta última modalidad de ayuno durante una semana entera, para después pasar al ayuno intermitente con el modelo horario que se escoja.

5. Los diversos métodos del ayuno intermitente

El ayuno intermitente puede realizarse siguiendo diversos patrones para alternar los períodos de alimentación y ayuno.

Entre ellos, el llamado ayuno **en días alternos**, que consiste en pasar un día entero sin comer, es decir ayunar durante 24 horas seguidas uno de los días de la semana, y comer normalmente al día siguiente.

Algunas personas, una vez que están habituadas intensifican el ritmo y ayunan durante 2 días consecutivos, es decir durante 48 horas, y los otros 5 días de la semana se alimentan también como suelen hacerlo. Esta misma modalidad de 2 días de ayuno semanales puede hacerse de forma separada: un día de ayuno, varios en los que se come y otro día de ayuno de 24 horas completas.

Otra variante es la conocida como **5/2**, no es estrictamente un ayuno, sino que se trata de consumir menos calorías 2 días a la semana y el resto de los días seguir la dieta habitual.

También hay quienes practican una forma muy popular de ayuno intermitente, el conocido como **12/12**, es decir, dividir las 24 horas del día en 2 períodos; y comer normalmente durante 12 horas y no hacerlo en las 12 restantes, fórmula que ya se ha mencionado antes.

Y el método que más comúnmente se practica, que consiste en comer durante 8 horas y ayunar 16 horas. Lo habitual en esta modalidad es hacer la última comida del día a las 7 de la tarde y no volver a comer hasta el día siguiente a las 11 de la mañana. Aunque, como es obvio, cada persona puede adaptar las horas, de acuerdo a su estilo de vida, obligaciones, etc. No importa si la última comida del día se realiza a las 6 de la tarde y el desayuno del día siguiente, a las 10 de la mañana.

Otro modelo de ayuno intermitente es el **20/4**. Consiste en prolongar durante 20 horas el ayuno y en las otras 4 horas que restan del día se come. Esto implica comer únicamente una vez o a lo sumo 2 veces diarias, en este último caso raciones más pequeñas. Ésta es una de las fórmulas más eficaces para perder peso, además de obtener otros efectos benéficos del ayuno intermitente, que ya se han explicado.

Es conveniente iniciar esta práctica probando a realizarla 4 o 5 días en la semana para experimentar los efectos que tiene en nuestro organismo, verificar si somos capaces de mantener el ritmo de ingestión/no ingestión sin sentir hambre, falta de energía o mal humor, o notar que no nos entorpece en el cumplimiento eficaz de nuestras tareas cotidianas.

Si apareciera alguna de estas reacciones, basta con ir poco a poco, iniciando con un día a la semana e ir aumentando paulatinamente hasta alcanzar el ritmo semanal que mejor se adapte a nuestra rutina y bienestar de acuerdo al objetivo propuesto.

6. Preparar la mente y el cuerpo para adoptar un ritmo distinto

La alimentación en forma de ayuno intermitente, cualquiera que sea la modalidad que se escoja, solamente pueden llevarla a cabo las personas sanas. Si se sufre alguna patología, es conveniente esperar a estar bien, o consultar con un especialista. No es recomendable para personas diabéticas, mujeres embarazadas ni para niños menores de 18 años.

Es muy importante iniciar el ayuno con el organismo bien hidratado. Si no se tiene la costumbre de beber entre dos y dos litros y medio de agua –ya sea del grifo, pasada por filtros caseros o agua mineral embotellada–, o si no resulta posible hacerlo en ciertos períodos del día por razones de trabajo u otras, es preciso buscar la manera de incorporar este hábito unos días antes de comenzar el ayuno para evitar que se produzca la deshidratación.

Antes de iniciar el ayuno intermitente no es preciso ingerir una comilona, recuerda que ésta no será «la última cena o comida» de un condenado a sufrir penalidades ni hambre.

Al contrario, en los días previos es conveniente aligerar las comidas que se ingieren, para que el organismo no pase bruscamente de un estado de pesadez a uno de abstinencia.

No tengas miedo, si te asaltan unas ganas insoportables de comer, siempre podrás echar mano de algún truco, al igual que ingerir una bebida o una infusión saludable que las aplaque.

Lo habitual es que esos impulsos de apetito que parece que no se pueden controlar se vayan aliviando, mitigando con el paso del tiempo, sobre todo si buscas algo que te distraiga a ti y a tu organismo.

Y, en última instancia, no pasa nada, podrás romper el ayuno, y si lo haces recuerda que eso no significa que hayas fracasado; por el contrario, te servirá para conocer mejor tu organismo y, cuando vuelvas a intentarlo, sin duda, hallarás la manera de ir aproximándote lentamente hasta dar con la pauta más adecuada de ayuno intermitente para ti.

Quizás te preguntes y hasta te preocupe saber qué ocurre si por alguna razón tienes que interrumpir tus horas de ayuno; somos seres sociales y puede ocurrir un imprevisto como la celebración de una cena, un cumpleaños, una boda… Pues no pasa nada, come en ese tipo de circunstancia con moderación. Si puedes escoger, elige los platos que puedan ser más adecuados porque son saludables y están entre los que te interesa consumir. Pasado el acontecimiento, continúa con el ritmo que tenías previsto.

Es preferible que lo hagas así y entres en la modalidad de ayuno intermitente sin dudas ni miedos, el compromiso es sólo contigo mismo y puedes adaptarte libremente al imprevisto que pueda aparecer.

Del mismo modo que para algunas personas una de las dudas frecuentes antes de iniciar el ayuno, es ¿y si tengo un «ataque de hambre» qué hago?, lo mismo ocurre con «¿y si me asalta la tristeza?».

No comer no causa tristeza y, como todos sabemos recurrir a la nevera, hemos de tener muy claro que el trocito de chocolate o a la bolsa de patatas fritas no sólo no disipan la tristeza ni aumentan el buen humor, sino que para lo único que sirven es para aumentar de peso. Busca la manera de sentirte mejor escuchando música, leyendo, saliendo a pasear o cualquier otra actividad beneficiosa para tu salud.

7. Ideas útiles para vencer posibles dificultades: Secretos y sugerencias

Si eres la persona que se ocupa de preparar las comidas en casa, puede resultar complicado y trabajoso preparar platos para el resto de los integrantes de la familia, como también tentador, cuando además tienes que preparar platos especiales que sean adecuados para tus horas de comer antes de las horas de ayunar.

Para ello, hay dos trucos y ambos dan muy buenos resultados: uno es preparar para toda la familia un plato saludable con los alimentos que tú puedes consumir y que resulte suculento para el resto de la familia. Encontrarás muchos, sino todos, en el Receterario.

El otro truco es además muy gratificante: cuéntales a una o varias de las personas con las que convives cuáles son los beneficios del ayuno intermitente y es posible que consigas que alguna de ellas te acompañen en esta andadura.

Y, en caso de que no obtengas su participación, pídeles al menos su complicidad: que no te ofrezcan comida entre horas, que no te tienten con alimentos que no quieres ni debes consumir; en suma, que respeten tu nueva forma de comer.

Otra manera de prolongar las horas de ayuno es concentrar las horas de ingesta de alimentos en períodos de tiempo más cortos y saltarse la cena, algo que hace muchísima gente, aunque no estén siguiendo una pauta de ayuno. Ésta es una forma de irse a dormir con el cuerpo más ligero, porque así se descansa mejor que si se tiene que hacer una pesada digestión. Incluso puedes acompañar al resto de comensales en la mesa bebiendo una infusión.

Un truco y en la práctica casi una necesidad es que, durante los días previos a emprender el ayuno, dejes de consumir cafeína y reemplaces el café por bebidas menos energéticas; eso evitará el síndrome de abstinencia de la cafeína que puede provocarte ansiedad, cansancio e indeseados y desagradables dolores de cabeza.

Por último, son muchos los especialistas que recomiendan vivamente acompañar los ayunos intermitentes con la práctica de ejercicio, la meditación y el yoga.

Las caminatas urbanas o los paseos en bicicleta, el senderismo en grupo y la práctica de ejercitación espiritual alejan tanto el hambre como la tristeza, procedan de donde procedan, y propician un estado interior de serenidad y alegría.

8. Equilibrio energético: Alimentos apropiados/ alimentos inadecuados

La definición más sencilla del concepto de equilibrio energético es la relación entre la energía que nos proporciona la ingesta de los alimentos y las bebidas y lo que gastamos en nuestras actividades habituales. Cuando hay paridad entre ambas cosas, mantenemos el peso adecuado, cumplimos correctamente con nuestras funciones y nos sentimos bien.

Sin embargo, hay que contar con otros factores, algunos orgánicos y otros del entorno que influyen en esta ecuación; como las cuestiones genéticas, las características metabólicas individuales o, incluso, los agentes medioambientales.

Aunque la energía que recibe nuestro organismo nos llega únicamente a través de la alimentación, la manera de gastarla es diversa. La más importante es la que requiere el funcionamiento del llamado «metabolismo basal», que es la energía que necesitan nuestros órganos, que consumen entre un 60 y un 70 % de ésta, siempre que mantengamos una dieta equilibrada. Este proceso no se interrumpe en las horas en que descansamos o dormimos aunque, lógicamente, el gasto es menor; otro 10 % lo utilizamos en el proceso de la digestión, es decir, cuando nuestro cuerpo transforma los alimentos en nutrientes.

La actividad en forma de trabajo, ejercicio o de otras acciones también necesita la inversión de energía, y suman entre un 20 y un 30 %. Es obvio que dependiendo de a qué se dedica cada persona este factor es variable: no se necesita la misma energía para andar, correr o practicar deportes de los más diversos tipos, que para realizar tareas domésticas como fregar platos o guisar. La idea de que los kilos de más o la obesidad dependen de una ingesta excesiva de azúcar o grasas es correcta en general, pero no debe olvidarse que el sedentarismo es un factor que contribuye en una medida significativa.

Por tanto, el equilibrio energético es clave para disfrutar de una buena salud y no excederse en el peso. Algunas dolencias que padecen determinadas personas se deben a la escasez de ciertas sustancias, a algo de lo que su organismo carece en las cantidades adecuadas para defenderse de ellas debido a que están mal, pobremente o escasamente alimentadas. Éstas son enfermedades generadas por carencias alimentarias. Pero, por el contrario, también cada vez hay más individuos en los países más desarrollados que sufren las llamadas «enfermedades de la abundancia», como son las patologías cardíacas, la hipertensión, la diabetes, el aumento de los niveles de colesterol y/o de triglicéridos, el hígado graso, etc.

En ocasiones, hay personas que se quejan al notar que, aunque reducen su ingesta de alimentos, no pierden peso o incluso engordan. Esto es típico de un desequilibrio energético; de una ingestión demasiado abundante de alimentos con respecto a al gasto energético que se realiza. Por ello es conveniente que, una vez comprobado con una consulta a un profesional, verifiquen si siguen una dieta que contiene los nutrientes necesarios en las cantidades adecuadas, y si no hay excesos, solamente necesitan realizar más actividades físicas, para reducir el sobrepeso e incluso para mejorar su estado de salud.

Lo primero en lo que debemos pensar para hallar ese equilibrio energético deseable para sentirnos bien y tener el peso adecuado es en mantener una dieta equilibrada.

Es decir, aquella forma de comer que incorpora una variedad de alimentos naturales, que nos aporta, a su vez, las proporciones equilibradas de proteínas, vitaminas, minerales y otros nutrientes, adaptada a nuestros requerimientos energéticos y nuestra particular forma de vida.

En este aspecto, tan importante es la cantidad como la calidad de los alimentos que ingerimos. El segundo factor en importancia es la variedad: no comer siempre lo mismo, preparado de la misma forma. Es importante comer a gusto, disfrutando de la riqueza de los distintos sabores, aromas y texturas de los alimentos. De hecho, comer bien nos hace sentir bien física y anímicamente.

De todos es conocida la típica ilustración de la «rueda de los alimentos». Si le echamos un vistazo vemos que está dividida en porciones que representan los distintos grupos de productos de los que se compone nuestra alimentación: las porciones mayores incluyen los que debemos consumir a diario y de manera más abundante y las menores son aquellas de las que no conviene abusar o que sólo debemos tomar esporádicamente.

La elección preferente a incluir en nuestras comidas debe ser alimentos frescos, de temporada y cultivados en la zona en que vivimos. Los productos con esas características son alimentos vivos, recogidos en el momento preciso y transportados desde lugares cercanos hasta nuestra mesa. Por lo tanto, nos aportan vida y energía para que nuestro metabolismo realice apropiadamente sus procesos y funciones.

Tres son los componentes imprescindibles en la alimentación humana: proteínas, los carbohidratos y las grasas. Las proteínas aportan poco combustible para que nuestro cuerpo lleve a cabo las funciones vitales, pero son esenciales para el buen funcionamiento orgánico, porque contienen todos los aminoácidos necesarios para ello; sin embargo, conviene recordar que las de origen animal como lácteos, carnes y pescados son las principales introductoras de toxinas en nuestro organismo.

Los carbohidratos sí nos sirven como combustible y se guardan en forma de glucógeno, una sustancia que se almacena en el hígado y en los músculos y que se convierte en glucosa cuando el organismo lo requiere. Los cereales, sobre todo integrales, las verduras y las frutas, entre otros alimentos, contienen carbohidratos.

En el caso de los cereales incluidos en las pastas, las masas y otras preparaciones, no son aconsejables en sus formas refinadas, como la harina de trigo blanca, y mucho menos en las preparaciones industriales, porque su índice glucémico es muchísimo más alto, y no alcanzamos a gastar todo ese combustible que se almacena en forma de kilos de más. Por esa razón, tampoco deben ingerirse en grandes cantidades, incluso en su forma integral.

Esos alimentos, sobre todo los vegetales, también incluyen un número considerable de vitaminas y minerales, lo que fortalece el sistema inmunológico, y, además, intervienen en una serie de procesos orgánicos.

Las vitaminas son esenciales para la vida y no las produce nuestro organismo, por lo tanto, debemos tomarlas de fuentes externas, entre otras, de los alimentos. Cada una de las 13 vitaminas cumple una función específica. Algo parecido ocurre con los minerales, que tampoco sintetiza el organismo, y debemos buscarlos fuera, a través de los alimentos.

Hemos de tener muy en cuenta que la carencia de alguna vitamina o de alguno de los 26 minerales que necesitamos nos puede generar enfermedades.

De manera que las verduras y las frutas son nuestro granero de vitaminas y minerales, y nos aportan la fibra, esencial para un buen proceso digestivo.

Recetario

Algunas consideraciones previas

Si antes de comenzar con la modalidad de ayuno intermitente, se opta por hacer un ayuno completo de 24 o de 48 horas, solamente puede ingerirse bebidas.

Las bebidas son agua, té, café, infusiones de hierbas y caldo.

De acuerdo con las recomendaciones que los doctores Jason Fung y Jimmy Moore ofrecen en su libro *La guía completa del ayuno*, a esas bebidas se les puede añadir algunas frutas, condimentos y otros complementos.

En el caso del agua, que es preciso beber con frecuencia durante el tiempo del ayuno completo, se le puede añadir lima o limón, vinagre crudo de manzana, sal del Himalaya y semillas de chía o linaza molidas, en una proporción de una cucharadita por cada taza de agua.

Además de té negro, resulta también beneficioso el té verde o el té de menta y las infusiones de hierbas, a los que puede añadirse aceite de coco, mantequilla, crema fresca de hasta un 35% de grasa, leche entera o semidesnatada, limón o canela. No obstante, el mayor beneficio lo obtenemos tomando el té o la infusión de hierbas solos, ya sean calientes, fríos, o con hielo.

Con respecto al café, con excepción del limón, ya que tiene un sabor que no combina bien con esta bebida, pueden añadirse los mismos productos que se indicaron para los tés y las infusiones de hierbas. La cantidad recomendada es de hasta seis tazas al día, en este caso también caliente, frío o con hielo.

Para preparar estas dos bebidas es conveniente utilizar edulcorantes, leche en polvo y es preferible consumir la leche entera o semidesnatada mejor y no completamente desnatada.

El caldo que se puede beber en los días de ayuno completo puede ser vegetal, de huesos o de espinas de pescado. Si la opción es el caldo de huesos o de pescado, puede incluirse una pequeña cantidad de carne, como también vegetales; entre ellos cebolla, zanahoria, hierbas y especias, vegetales de hoja verde, semillas como la linaza molida, y en general, toda la verdura que crece por encima de la tierra. No debe añadírsele al caldo los vegetales que crecen enterrados como nabos, patatas, remolachas, boniatos, etc. Tampoco debe prepararse el caldo con cubitos o consumir los que se venden ya preparados.

En otro orden de cosas y entrando ya en la pauta del ayuno intermitente, con independencia de la modalidad horaria escogida, se ofrece un recetario.

Se han divido las recetas en tres apartados: platos para la temporada otoño e invierno; para la de primavera y verano y, por último, postres y dulces para tomar en cualquier temporada. Lo ideal es consumir en cada estación del año platos preparados con productos propios de la misma, aunque en la actualidad es posible encontrar todo el año productos de las cuatro estaciones.

Si no se dispone de ciertos alimentos y se desea utilizarlos, puede optarse por emplearlos en forma de congelados de buena calidad o en conserva envasados en botes de cristal, siempre mejores que las enlatadas.

Independientemente de si se va a guisar con productos frescos o en otro tipo de conservación, el hecho de agrupar las recetas por estaciones del año responde a que, por naturaleza, preferimos y nos resulta más apetecible tomar cierto tipo de platos cuando hace frío, y otros cuando hace calor. De modo que se encontrarán más potajes y cazuelas en el apartado subtitulado Otoño e Invierno, y más ensaladas o sopas frías en el de Primavera y Verano.

Asimismo, es preferible utilizar las harinas y pastas integrales en lugar de las harinas o elaboraciones con harinas refinadas, al igual que el azúcar moreno en lugar de blanco; en estos productos las cantidades indicadas en cada receta no varían.

En relación a los alérgenos, tales como frutos secos u otros, puede prepararse el plato que los contenga con otros productos que no generen alergias. Un ejemplo sería que, si en una receta se indica nueces y pasas de uvas y quienes van a tomar ese plato son alérgicos a las nueces, basta con aumentar la cantidad de pasas o prescindir del alimento que causaría la alergia. Del mismo modo debe procederse con los frutos rojos que pueden reemplazarse por manzanas, peras o cualquier otra fruta que no genere reacciones alérgicas. Lo mismo ocurre con el gluten de las harinas y pastas o la lactosa: en ambos casos, el mercado ofrece una variedad de estos productos que no afectan a personas alérgicas a ellos.

Es preferible optar siempre por el aceite de oliva, en ciertos casos se especifica que debe ser virgen, de primera presión en frío o de semillas. Sin embargo y, sobre todo en los postres o los dulces, esta variedad de aceite enmascararía algunos sabores; por lo tanto, se indica la utilización de aceites de semillas o maíz.

La mantequilla es preferible a la margarina, y la leche siempre es conveniente que sea entera.

Las cantidades de cada ingrediente en la gran mayoría de las recetas son para la preparación de 4 raciones. En caso de que el número de comensales sea menor, bastará con reducir proporcionalmente las cantidades indicadas y, por el contrario, si son más los comensales, se aumentarán esas cantidades en la proporción necesaria. Igualmente, si se sigue la receta para los comensales indicados, y no se consume en su totalidad, puede optarse por congelar lo que sobre para tomarlo en otra ocasión.

Por último, aunque en una familia de varios miembros solamente uno esté practicando el ayuno intermitente, los platos recomendados pueden tomarlos todos; la única diferencia estará en las horas de ingestión.

Otoño e invierno

Sopa de habas

(*4 raciones*)

Ingredientes

200 g de habas
1 cebolla grande
¾ de taza de apio picado
1 diente de ajo
2 tomates grandes
½ l de agua
2 c/s de aceite de oliva
1 c/c de orégano molido
Sal
Pimienta

Preparación

Primero, picar la cebolla y triturar el diente de ajo. Rallar los tomates.

En una cacerola poner al fuego las habas, la cebolla, el apio, el ajo y el agua.

Tapar y dejar hervir a fuego lento para que las habas se pongan tiernas.

Aparte, saltear en una sartén en aceite de oliva el tomate, con el orégano, la sal y la pimienta al gusto durante 5 minutos.

Para terminar, añadir el sofrito a la preparación de la cacerola y dejar cocer 15 minutos más.

Sopa de verduras con avena

(*4 raciones*)

Ingredientes
1 cebolla grande
1 puerro grande
2 tallos de apio blanco o verde sin las hojas
2 calabacines verdes
2 zanahorias
½ kg de calabaza (de la variedad cacahuete)
2 boniatos pequeños o 1 grande
2 patatas medianas
100 g de guisantes
100 g de maíz en grano
8 c/s de copos de avena sin sal ni azúcar
Aceite de oliva
Sal

Preparación
En primer lugar, poner una cacerola al fuego a temperatura media y calentar el aceite de oliva cubriendo el fondo.

Cuando esté caliente, echar la cebolla picada finamente y dejar cocer hasta que esté transparente.

Limpiar y pelar las patatas, los boniatos y la calabaza, no pelar los calabacines.

Trocear todas las verduras en dados pequeños.

Cuando la cebolla esté transparente, añadir el puerro cortado en rodajitas y el apio troceado pequeño.

Después, remover y dejar cocer unos minutos.

Cubrir con agua suficiente e incorporar el resto de los vegetales troceados.

Dejar cocer hasta que la calabaza, los boniatos y las patatas estén tiernos. Incorporar los guisantes y el maíz.

En el momento en que la preparación alcance una ebullición suave, comprobar que hay caldo suficiente y salar a gusto la preparación.

Por último, incorporar los copos de avena y remover bien.

Los copos de avena no necesitan cocción, solamente embeberse en el caldo; cuanto más tiempo se dejen con la cacerola al fuego, más espesará la sopa.

Servir muy caliente en platos hondos.

Sopa de cebada

(*4 raciones*)

Ingredientes

1 ½ taza de cebada perlada
1 cebolla pequeña
2 zanahorias
2 l de agua o de caldo de verduras (puede ser hecho con
   cubitos)
Aceite de oliva
Pimienta
Sal

Preparación

Previamente, picar la cebolla. Limpiar, raspar y rallas las
zanahorias.

En una cacerola con un poco de aceite de oliva, saltear
la cebolla picada finamente y las zanahorias durante unos
15 minutos.

Después, agregar el caldo de verduras y llevar a ebullición.

A continuación, añadir la cebada y condimentar con pimienta y sal al gusto.

Para terminar, dejar cocer durante 2 horas.

Servir bien caliente.

Sopa de cebolla tostada

(*2/3 raciones*)

Ingredientes

¼ de kg de cebolla
¾ de l de caldo de verduras (puede ser de cubitos)
50 g de queso rallado
Pan del día anterior
Aceite
Sal

Preparación

Primero, pelar y picar la cebolla en trocitos pequeños.

Después, freír en abundante aceite a fuego bajo hasta que esté transparente, cuidando que no se dore.

Luego, colar y disponer la mitad en 2 cazuelitas de barro que puedan ponerse al horno.

Colocar encima rodajas finas del pan previamente tostado.

A continuación, repartir el caldo en las cazuelas y añadir un poco de sal al gusto.

Espolvorear el queso por encima y poner al horno para gratinar la sopa.

Servir caliente en las mismas cazuelitas.

Cazuela de fideos

(*4/6 raciones*)

Ingredientes

250 g de fideos medianos
250 g de boquerones o de bacalao
250 g de almejas
1 cebolla pequeña
1 patata
2 zanahorias
3 alcachofas
1 tomate
1 pimiento rojo
125 g de habas frescas
125 g de guisantes
1 ½ tacita de aceite de oliva
1 l de agua
Unas hebras de azafrán
Sal

Preparación

En primer lugar, poner el bacalao troceado en remojo con agua 24 horas antes, cambiándole el agua 2 veces. Si se hace la cazuela con los boquerones, limpiarlos y freírlos.

Aparte, pelar la cebolla y el tomate y picarlos finamente. Lavar el pimiento y cortarlo en trozos pequeños. Lavar, raspar bien y trocear las zanahorias en daditos pequeños.

Seguidamente, pelar las patatas y trocearlas también en daditos menudos.

Desgranar los guisantes y las habas.

Quitar las hojas duras de los alcachofas, cortarles la mitad superior y trocearlas en cuatro.

Aparte, calentar el aceite en una cazuela al fuego y hacer un sofrito con la cebolla, el pimiento y el tomate. Añadir el resto de las verduras, los boquerones o el bacalao y las almejas; darles una vuelta con la cuchara.

Después agregar el agua, un poco de sal y un buen pellizco de azafrán.

Para terminar, tapar y cocer entre 20 y 30 minutos a fuego moderado.

Cuando las verduras estén casi cocidas, echar los fideos y cocer durante 8 o 10 minutos más.

Cocido de calabaza y habichuelas

(*4/6 raciones*)

Ingredientes

250 g de carne de cerdo
250 g de carne de ternera
150 g de costilla de cerdo añeja o salada
300 g de habichuelas puestas en remojo la noche anterior
150 g de tocino fresco
1 hueso de jamón
1 patata mediana
2 zanahorias
½ kg de calabaza
300 g de judías verdes planas
Sal

Preparación

En olla a presión

Primero, disponer en crudo todos los ingredientes, todas las carnes debajo y las verduras por encima, para que no se deshagan durante la cocción.

Cubrir con agua, salar y poner al fuego la olla a presión.

Por último, cocer durante tres cuartos de hora.

En cacerola normal

Primero, poner en una olla todos los ingredientes, excepto las judías verdes y la calabaza.

Después, Cubrir con agua, salar y dejar cocer durante 1 hora. Para acabar, añadir las judías verdes y la calabaza, Continuar la cocción durante media hora más.

Potaje malagueño

(*4/6 raciones*)

Ingredientes

250 g de carne de cerdo
125 g de costilla de cerdo añeja o salada
125 g de tocino
100 g de morcilla
1 trozo de hueso de jamón
1 kg de col
250 g de garbanzos, previamente remojados durante 12 horas
1 patata
1 pimiento
100 g de zanahorias
100 g de calabaza
1 cabeza de ajos
1 hoja de laurel
1 c/c de pimentón
Sal
2 l de agua

Preparación

Primero lavar las verduras, raspar las zanahorias, pelar la patata y la calabaza.

Picar menudos la col, las zanahorias, la calabaza, la patata y el pimiento.

Aparte, asar la cabeza de ajos entera.

En una olla a fuego vivo, calentar el agua y poner la carne, los productos del cerdo.

Cuando rompa a hervir, añadir los garbanzos, dejar cocer 1 hora y agregar luego las verduras, la cabeza de ajos asada, el laurel y la cucharadita de pimentón. Probar el punto de sal y rectificar si hace falta.

Tapar y cocer a fuego lento durante 30 minutos más.

Para terminar, colar el caldo (que se puede usar una vez desgrasado solo o para hacer sopa de arroz o pasta) y servir las verduras y la carne por separado.

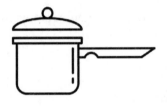

Judías con vegetales

(*4 raciones*)

Ingredientes
300 g de judías pintas (remojadas la noche anterior)
1 cebolla
3 dientes de ajo
½ calabacín verde
1 pimiento rojo
1 zanahoria
1 puerro
1 tomate maduro
1 hueso de jamón (opcional)
Aceite de oliva
1 c/s de pimentón de la Vera
1 c/c de comino
2 hojas de laurel
Sal

Preparación
Primero, verter el aceite de oliva en una cacerola y rehogar la cebolla, el puerro, el pimiento y la zanahoria cortados en dados pequeños.

Cuando comience a pochar, incorporar los ajos bien picaditos.

A los 5 minutos, añadir el calabacín también cortado en dados y dejar cociendo unos minutos más.

Finalmente, agregar el tomate pelado, sin semillas y cortado en trozos pequeños.

Dejar que la preparación siga cociendo unos minutos más.

Mientras, condimentar con el pimentón, el comino y el laurel.

Retirar del fuego para que no se queme y remover todo muy bien.

Echar las judías que se habrán escurrido del agua en que se remojaron la noche anterior y se habrán enjuagado muy bien. Cubrir con agua y, si se ha decidido poner el hueso de jamón, echarlo en ese momento, poner la preparación a fuego medio y llevar a ebullición.

En ese punto, bajar el fuego al mínimo y mantener la cocción con la cacerola tapada hasta que las legumbres estén cocidas.

Vigilar que la cocción no se quede sin caldo y, si hace falta, ir añadiendo agua.

Rectificar de sal, retirar y servir.

Puchero de hinojos

(4/6 raciones)

Ingredientes
250 g de judías blancas, en remojo desde la víspera
250 g de costilla fresca de cerdo
200 g de tocino fresco
1 hueso añejo o salado
200 g de morcilla
½ kg de hinojos
250 g de patatas
100 g de arroz
Sal
1 ½ l de agua

Preparación
Previamente, poner a cocer las judías en una cacerola con el agua. Agregar la costilla, el tocino, el hueso y después los hinojos. Echar un poco de sal.

Dejar cocer durante 1 hora.

Mientras tanto, pelar y trocear las patatas.

Pasada 1 hora desde que comenzó la cocción, incorporar las patatas.

Cuando el cocido recupere la ebullición, añadir el arroz, cocer durante 20 minutos más y servir.

Potaje de otoño

(*4 raciones*)

Ingredientes

½ kg de patatas

200 g de garbanzos

150 g de setas del bosque (pueden ser congeladas o en bote de cristal)

100 g de repollo

1 cebolla pequeña o media si es grande

1 pimiento verde de freír o ½ pimiento rojo

1 diente de ajo

¾ de l de caldo de verduras natural, preparado con 2 cubitos o agua

100 g de tomate triturado

2 o 3 hojitas de laurel

1c/c de pimentón dulce, nuez moscada molida y jengibre (de pimentón puede echarse una 1 c/s, al gusto), pimienta blanca y negra al gusto

1 c/c de aceite de oliva

Sal

Preparación

Primero, poner los garbanzos en remojo la noche anterior, salvo que se utilicen congelados o de bote de cristal.

Después, pelar y picar en trozos menudos la cebolla y el pimiento.

Seguidamente, lavar, pelar y cortar en dados pequeños las patatas.

Limpiar las setas y cortar.

Picar el diente de ajo.

A continuación, sofreír ligeramente el ajo y la cebolla; añadir luego todos los ingredientes incluidos los garbanzos si son remojados en casa; si son congelados o de bote, no añadir aún.

Sazonar con los condimentos indicados y remover para mezclar bien. Cubrir con el caldo o el agua.

Dejar cocer a fuego medio hasta que hierva, bajar el fuego 10 minutos.

Después, añadir los garbanzos congelados o de bote. Cocer 5 minutos más y rectificar de sal. Si se utilizan garbanzos congelados, hay que usar menos caldo o agua para que no quede muy líquido, porque los garbanzos soltarán agua.

Si queda muy espeso, puede añadirse agua para que resulte más caldoso.

Lentejas viudas

(*4 raciones*)

Ingredientes

250 g de lentejas
1 cebolla o 1 puerro
1 patata pequeña
1 tomate maduro
1 pimiento verde
3 zanahorias medianas
4 o 5 dientes de ajo
1 hoja de laurel
1 ramita de perejil
1 chorro de aceite de oliva (opcional)
Sal

Preparación

Primero, se ponen las lentejas en agua fría sin sal (remojadas previamente si no son de cocción rápida).

Las verduras (patata, zanahoria, pimiento, cebolla y tomate) pueden trocearse o ponerse enteras.

Cuando rompe el hervor, se les quita el agua y se vuelven a cubrir con agua fría, añadiéndoles el resto de los ingredientes.

Para terminar, salar al gusto y dejar hervir todo durante media hora.

Cinco minutos antes, si se desea, se echa el chorro de aceite de oliva.

Lentejas con calabaza

(*4 raciones*)

Ingredientes
1 ½ taza de lentejas
300 g de calabaza
1 cebolla
¼ de taza de tomate triturado
Aceite de oliva
½ c/c de cúrcuma en polvo
½ c/c de comino en polvo
1 pizca de pimentón dulce o picante
Sal

Preparación
Previamente, dejar en remojo la noche anterior las lentejas, salvo si se utiliza lenteja rápida que no necesita remojo.

Cocer las lentejas.

Mientras, cortar en dados no muy pequeños la calabaza y cocerlos.

Pelar y cortar la cebolla en trozos pequeños y sofreírla en una sartén con aceite de oliva a fuego bajo.

Cuando la cebolla esté transparente, verter el tomate triturado.

Condimentar con la cúrcuma y el comino.

Dejar cocer a fuego lento unos 10 minutos o hasta que tenga un espesor suficiente y salar.

Echar primero la calabaza ya cocida y mezclar la preparación para repartirla bien.

Cuando se recupere una ebullición suave, añadir las lentejas cocidas.

Para terminar, dejar cocer unos minutos más.

Si la preparación ha quedado muy seca, puede agregarse tomate.

Servir caliente y, si se desea, espolvorear perejil picado o albahaca fresca picada.

Lentejas compuestas

(*4 raciones*)

Ingredientes

400 g de lentejas (si son de la variedad que necesita remojo, dejarlas en agua la noche anterior)

2 patatas medianas

1 pimiento rojo

1 diente de ajo

100 g de arroz (a ser posible integral o de la variedad basmati)

6 c/s de aceite de oliva

1 c/s de vinagre de vino o de zumo de limón

1 hojita de laurel

½ c/c de pimentón dulce

Sal

Preparación

Primero, poner a cocer las lentejas en agua fría con 3 cucharadas soperas de aceite, sal y con la hoja de laurel. Dejar hervir durante unos 30 minutos.

Al cabo de ese tiempo, añadir la cucharada de vinagre o de zumo de limón, el arroz y las patatas, que deben estar cortadas no en rodajas ni en dados, sino en trozos medianos e irregulares.

Dejar que siga cociendo la preparación.

Al añadir el arroz, se debe tener en cuenta que este cereal necesita el doble volumen de agua o caldo para hacerse.

Mientras tanto, preparar un sofrito con la cebolla y el pimiento rojo cortados en juliana fina y el ajo picado. Cuando esté en su punto, es decir que la cebolla se vea transparente, apagar el fuego, añadir el pimentón dulce, remover y echar todo a la cazuela.

Si el potaje queda muy caldoso, se puede triturar en la batidora unas cucharadas soperas de las legumbres y añadir el puré resultante a la cazuela.

Potaje de acelgas con alubias

(*4 raciones*)

Ingredientes
1 kg de acelgas
200 g de alubias rojas
1 chorizo rojo cortado en rodajas
1 tomate maduro
1 ñora
8 almendras con piel sin sal
100 g de miga de pan mojada en agua y vinagre
3 dientes de ajo
1 tacita de aceite de oliva
12 granos de comino
1 c/c de pimentón dulce
Sal

Preparación
Primero, poner las alubias en remojo la noche anterior.

Al día siguiente, cocerlas en ½ l de agua y un poquito de sal, en una cacerola a fuego lento hasta que estén tiernas.

Mientras se cuecen las alubias, limpiar las acelgas, lavarlas y trocearlas aprovechando sólo las hojas y desechando los tallos.

Pelar los ajos, pelar y picar fino el tomate.

Calentar el aceite en una sartén, freír los ajos y las almendras, sacarlos y reservarlos.

En ese mismo aceite freír el chorizo y el tomate, dejar rehogar y añadir las acelgas; continuar rehogando durante 5 minutos más, agregar el pimentón, remover y verter todo en la cacerola donde están las alubias.

Machacar en el mortero los ajos, los cominos, las almendras y la miga de pan mojada en agua y vinagre. Verter la mezcla en la cacerola.

Para terminar, sazonar con un poco de sal, añadir la ñora cortada a trozos y dejar que se cueza todo durante 10 minutos más.

Si se prefiere el picante, se puede añadir un poco de guindilla.

Alubias blancas con perdiz

(*4 raciones*)

Ingredientes
2 perdices
½ kg de alubias blancas
1 cebolla
1 tomate maduro
2 pimientos verdes y 1 pimiento rojo
2 zanahorias
2 dientes de ajo
1 ramita de perejil
½ copa de vino de jerez
Aceite de oliva
Sal

Preparación

Dejar las alubias en remojo la noche anterior o durante 8 horas al menos.

Enjuagar las alubias del agua del remojo y ponerlas a cocer en agua fría. Cortar las verduras en trozos –dejando aparte el pimiento rojo– y ponerlas a pochar con el aceite de oliva (1 o 1½ tacita), en una sartén o cazuela.

Cuando la cebolla esté transparente, añadir las perdices limpias y enteras, y que se vayan haciendo hasta que tomen color.

A continuación, verter la copita de vino de Jerez en la preparación.

Añadir agua a la cacerola hasta cubrir las perdices y dejar que se vayan cociendo a fuego bajo, con la tapadera puesta.

Cuando al pinchar la carne de las aves, esté tierna querrá decir que están listas para sacarlas de la cazuela.

Después, partir las perdices por la mitad y deshuesarlas.

Retirar las verduras de la cacerola aunque no las alubias. Pasar esas verduras por la trituradora y, a continuación, por el pasapurés.

Si al triturar, la mezcla es muy densa, remojar con un poco de caldo de su propia cocción.

Añadir a las alubias al puré que se ha obtenido.

Para terminar, remover bien, rectificar de sal si hace falta y subir el fuego hasta que alcance un nuevo hervor.

Servir las alubias por raciones individuales junto con media perdiz.

Repartir por encima de cada plato el pimiento rojo troceado y espolvorear con el perejil bien picadito toda la superficie.

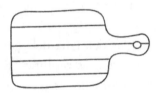

Olla variada

(*4/5 raciones*)

Ingredientes
½ kg de garbanzos
250 g de chícharos
1 manojo de espinacas
1 cebolla
1 tomate
1 pimiento
2 patatas
1 zanahoria
1 ramita de apio
1 cabeza de ajos
100 g de fideos gruesos
1 vasito de aceite de oliva
Perejil
Unas hojas de laurel
1 c/s de pimentón ahumado
Sal

Preparación
Poner en remojo la víspera los garbanzos y los chícharos por separado.

Por la mañana desechar el agua y poner las legumbres en una cacerola con aceite, las espinacas, los ajos, la cebolla, el pimiento, el tomate, la ramita de apio, la zanahoria todo bien picadito, el laurel y el perejil.

Cubrir todo con agua.

Después, rectificar de sal y añadir también el pimentón ahumado.

Una vez que todos los ingredientes estén tiernos, incorporar las patatas troceadas y los fideos.

Por último, cocer hasta que todos los ingredientes estén en su punto.

Pato en lecho de puerros

(*4/6 raciones según el tamaño del ave*)

Ingredientes

1 pato
½ kg de puerros
250 g de cebolletas
1 taza de caldo de ave (puede ser de cubito)
Aceite de oliva
3 hojas de laurel
Pimienta
Sal

Preparación

Mientras se precalienta el horno a 180 °C, untar una asadera con aceite de oliva.

Limpiar y cortar en juliana fina los puerros y las cebolletas incluyendo las hojas verdes que se puedan utilizar.

Disponerlas en forma de lecho cubriendo todo el fondo de la asadera untada de aceite y por encima disponer también las hojas de laurel.

Salpimentar al gusto el pato con pimienta y sal, y ponerlo encima del lecho de puerros y cebolletas.

Bajar la temperatura del horno, introducir el pato y dejar que se hornee durante 45 minutos.

Pasado ese tiempo, sacar la asadera, echar el jugo acumulado durante el horneado (es solamente grasa que suelta el pato), y verter por encima la taza de caldo.

Por último, volver a introducir en el horno y cocinar durante 45 minutos más o hasta que la carne del ave esté tierna.

Servir acompañado de boniatos asados, que se pueden hornear en otra fuente a la vez que el pato; se retiran cuando estén hechos y se reservan hasta el momento de llevar a la mesa.

Albóndigas de cordero

(*4 raciones*)

Ingredientes
750 g de carne de cordero sin tendones
3 cebollas de tamaño mediano
4 claras de huevo
Perejil seco o fresco
Aceite de oliva
Jengibre fresco
Canela en polvo
Valeriana
Clavos de olor
Pimienta negra
Sal

Preparación
Previamente, picar la carne de cordero y machacar en un mortero hasta obtener una consistencia de puré espeso.

En un recipiente de barro, poner la carne, añadirle la sal, la pimienta negra, el jengibre rallado, la canela molida, la valeriana al gusto, los clavos –no más de 6– y las claras de huevo.

Mezclar muy bien todos los ingredientes hasta obtener una masa homogénea.

Después, con las manos humedecidas formar albóndigas de pequeño tamaño.

En una cacerola con agua, sal y un chorro de aceite, echar las cebollas picadas y el perejil con un poquito de pimienta negra. Cuando el agua comience a hervir, incorporar las albóndigas.

La cantidad de agua debe ser la suficiente para que, una vez acabada la cocción, quede una ligera salsa con la que se cubrirán las albóndigas que deben servirse calientes.

Albóndigas con castañas

(*4 raciones*)

Ingredientes
1 pollo deshuesado
2 cebollas
2 dientes de ajo
1 ½ docena de castañas
3 c/s de harina
3 huevos
2 c/s de perejil fresco
1 c/s de perejil seco
Aceite de oliva
Vinagre
Pimienta
Sal

Preparación
Primero, picar la carne del pollo hasta que quede una masa o triturarla en un robot de cocina.

Después, añadir los huevos, la harina y las 2 cucharadas de perejil fresco picado, la mitad de la cucharada de perejil seco y los 2 dientes de ajo picados finamente.

Con las manos humedecidas, ir tomando porciones de la mezcla y preparar las albóndigas.

Una vez que estén todas listas, ponerlas a cocinar en una cacerola con agua, las cebollas peladas y partidas en cuartos, el perejil fresco y el seco.

Verter un buen chorro de aceite por encima de la preparación y dejar cocer a fuego medio.

Aparte, coger las castañas (preferentemente frescas), quitarles la cáscara y cocinarlas en agua.

Una vez que estén tiernas, hacer un puré y añadirlo a la cazuela de las albóndigas con un chorro de vinagre.

Albóndigas a la romana

(4/5 raciones)

Ingredientes
1 kg de pescado blanco fresco (cuanto más fino mejor)
250 g de harina
Aceite de oliva
1 c/c de perejil fresco
1 c/c de canela
½ c/c de menta
1 c/s de comino
Pimienta blanca
Sal

Preparación
En primer lugar, limpiar el pescado y cortar en trozos.

Escaldar los trozos de pescado en que agua con sal. Quitarle las espinas y la piel, y picar bien toda la carne del pescado o triturarla en un robot de cocina.

A continuación, mezclar y amasar bien con la harina y las especias.

Después, tomar porciones de masa con las manos humedecidas y formar las albóndigas.

Si se puede, dar a las albóndigas forma de pescaditos.

Por último, freír en aceite bien caliente hasta que estén bien doradas por todas partes.

Servir calientes.

Papillote de salmón al ajo negro

(*4 raciones*)

Ingredientes

4 hojas de papel de aluminio del tamaño aproximado de un folio

2 lomos de salmón partidos por el medio tratando de que queden 4 trozos de igual tamaño

8 dientes de ajo negro

Zumo de limón

Orégano

Pimentón dulce ahumado

Sal

Preparación

Primero, disponer cada ración de salmón en un trozo de papel de aluminio. Salar el pescado al gusto.

En cada ración de pescado poner 2 ajos negros a cierta distancia uno de otro y presionar suavemente en la carne del salmón para que el ajo quede ligeramente hundido. Salar, y esparcir por encima el orégano y el pimentón.

Después, rociar con zumo de limón y cerrar bien cada hoja de papel de aluminio.

Precalentar el horno a 180 °C.

A continuación, disponer los paquetitos de salmón en una fuente para hornear e introducir la fuente en el horno bien caliente.

A los 15-20 minutos, el pescado estará en su punto.

Por último, retirar la fuente del horno y servir cada papillote en un plato para que el comensal lo abra.

Acompañar de patatas con piel hechas al vapor.

Pescado al yogur

(*4 raciones*)

Ingredientes

½ kg de pescado en filetes (puede ser blanco o azul)
1 taza de yogur natural de leche entera o desnatada
1c/s de cebolla picada
1 c/c de paprika
1 c/c de semillas de comino o anís verde
Pimienta
Sal

Preparación

Previamente, salar el pescado limpio de piel y espinas.

Después, disponer los filetes en una fuente de horno poco profunda.

A continuación, mezclar el yogur con la paprika, el comino y la cebolla.

Verter la mezcla por encima del pescado cubriéndolo bien.

Precalentar el horno a 180 °C y hornear unos 10-15 minutos.

Pulpitos a la cazuela

(*4 raciones*)

Ingredientes
8 pulpitos limpios (pueden ser congelados)
2 cebollas pequeñas
1 docena de dientes de ajo
Aceite de oliva
Vinagre
Pimienta
Sal

Preparación
Si los pulpitos son congelados, descongelar desde la noche anterior en la nevera para no romper la cadena de frío.

Después, cortar las cebollas en 4 trozos y pelar los dientes de ajo, que se echarán en una cazuela de barro o en un caldero no muy hondo.

Luego, agregar agua, aceite, vinagre y sal al gusto.

Cuando la cebolla esté transparente, añadir los pulpitos a la cazuela y dejar cocer a fuego bajo, removiendo de vez en cuando para que no se peguen ni se quemen.

Servir caliente en la cazuela con un acompañamiento de patatas cocidas.

Solomillo con frutas secas

(*4 raciones*)

Ingredientes

1 solomillo de cerdo de aproximadamente 800 g
250 g de taza de azúcar moreno
1 taza de puré de orejones de albaricoque
1 taza de pasas de uva
1 c/s de tomate triturado
2 c/s de zumo de limón
Zumo de naranja
Sal

Preparación

Primero, hervir el solomillo de cerdo en agua con sal hasta que la carne esté tierna pero firme. Retirar la carne de la cacerola, dejar que se enfríe a temperatura ambiente, cortarla en rodajas finas y reservar.

A continuación, mezclar el resto de los ingredientes (salvo la sal) en otra cacerola; el zumo de naranja se irá vertiendo poco a poco hasta conseguir una salsa de la consistencia deseada.

Cuando la salsa esté en el punto deseado, añadirle las rodajas de solomillo y dejar cocer unos 15 minutos para que se mezclen los sabores.

Pasar a una fuente y servir.

Ternera asada

(*4 raciones*)

Ingredientes
750 g de carne de ternera, preferentemente fibrosa
1 cebolla
Unas hebras de azafrán
1 c/c de perejil seco
1 c/s colmada de miel
Aceite de oliva
Vinagre
Agua de rosas (opcional)
Pimienta blanca
Sal

Preparación
En primer lugar, limpiar bien la carne, quitándole la grasa visible y cortarla en trozos medianos.

En una cacerola con un fondo de aceite echar los trozos de ternera salpimentados. Añadirle el perejil seco y unas pocas gotas de vinagre.

Ir rehogando la ternera sobre el fuego bajo y revolviendo, a medida que se le añade agua caliente, para que vaya soltando más jugo.

Cuando falte poco para que la carne esté a punto, incorporar la cebolla bien picada con el azafrán diluido en una cucharada de agua y la cucharada de miel.

Dejar que se cocine la cebolla y, cuando la salsa comience a espesar, retirar los trozos de carne con la salsa de la olla y disponerlos en una fuente de horno.

Es éste el momento, si se desea, en que se puede rociar la preparación con agua de rosas y dejar unos minutos en el horno a temperatura alta, para que se dore la carne y tome el aroma del agua de rosas.

Pavo en salsa de uvas

(*4 raciones*)

Ingredientes
Dos cuartos traseros de pavo (aproximadamente 1 ½ kg)
3 cebollas
6 puerros
250 g de uvas frescas (mejor utilizar una variedad ya pelada y sin pepitas)
250 g de pasas de Corinto
Harina integral
½ vaso de vino de jerez dulce (o 1 vaso de vino tinto mezclado con una c/s de azúcar moreno)
Aceite de oliva
Pimienta
Sal

Preparación
Poner a macerar la víspera las pasas de Corinto en el vino dulce de Jerez para que queden bien hinchadas.

El pavo debe estar sin piel (en el momento de comprarlo pedir al carnicero que la retire).

Trocear el ave, salpimentarla, enharinar los trozos, dorarlos en una sartén y reservar.

Después, cortar las cebollas y los puerros en juliana fina, y saltearlos en aceite de oliva para que se ablanden.

Aparte, poner en una cazuela las verduras, el pavo, las pasas y el Jerez en el que se las maceró. Añadir caldo de ave (o agua) de forma que la preparación quede cubierta y poner la cazuela a fuego suave para que cueza durante unos 35 o 40 minutos.

La cocción habrá terminado cuando la carne del pavo esté tierna.

Mientras se esté haciendo el pavo, ir pelando las uvas y retirar las pepitas con un palillo, salvo que se haya preparado sin piel ni pepitas.

Una vez esté hecho el pavo, apartar la carne y pasar el resto de los ingredientes por la batidora y luego por el chino.

Rectificar de sal y añadir las uvas enteras.

Finalmente, disponer los trozos de pavo en una fuente, cubrir con la salsa y servir.

Gallina en pepitoria

(*4 raciones*)

Ingredientes
1 gallina de 1 ½ kg aproximadamente
1 cebolla mediana
2 dientes de ajo
1 rebanada de pan
2 huevos duros
10 almendras crudas sin piel
1 tacita de aceite de oliva
1 pellizco de cominos
1 c/c de zumo de limón
3 vasos de agua
Pimienta, canela, y clavo de especia en polvo
Unas hebras de azafrán
Sal

Preparación
Primero, trocear la gallina o comprarla ya troceada en cuartos u octavos.

Después, pelar y picar finamente la cebolla. Pelar los dientes de ajo sin trocearlos.

Mientras, cocer los huevos.

Seguidamente, calentar el aceite en una cazuela puesta al fuego y dorar el pan junto con las almendras y los ajos. Sacar y reservar.

En ese aceite, rehogar los trozos de gallina, cuando estén dorados por fuera, pero todavía sin hacer, sacarlos y reservarlos. A continuación, rehogar en la misma cazuela la cebolla picada.

Cuando la cebolla esté blanda, agregar otra vez la galli-na, cubrir con agua, salar al gusto, condimentar con las hebras de azafrán y el comino, la pimienta, la canela y el clavo al gusto.

Dejar que cueza hasta que la carne del ave esté tierna.

Para terminar, añadir el zumo de limón, el pan con el ajo y las almendras que se han dorado antes y rectificar de sal.

Capón relleno

(*4 raciones*)

Ingredientes
1 pollo capón grande
150 g de carne magra de cerdo picada
100 g de taquitos de jamón serrano
1 panecillo desmigajado
2 huevos duros
1 c/s de piñones
1 c/s colmada de pasas sin semillas
1 vaso de mosto
1 c/c de canela
1 c/s de perejil
Sal
Aceite o mantequilla para untar el ave

Preparación
Primero, eviscerar, limpiar bien el capón.

A continuación, preparar el relleno con una mezcla fina hecha con la carne, las pasas, los piñones, los taquitos de jamón, los huevos troceados, las migas de pan, la canela y el perejil.

Luego, añadir a la mezcla el mosto, y salpimentar.

Después, rellenar el ave con este preparado y coser el orificio del cuello y la parte trasera.

Precalentar el horno a 180 °C hasta que esté bien caliente.

Untar el capón con mantequilla o aceite de oliva extendiendo por toda la superficie.

Colocar en una fuente de horno.

Hornear, dándole varias veces la vuelta al ave para que se dore enteramente. A partir de unos 45 minutos de horneado, ir pinchando la carne con un tenedor para saber si ya está tierna y sacarla del horno.

Pollo estofado con berenjenas

(*4 raciones*)

Ingredientes

1 pollo de aproximadamente 1 ½ -1 ¾ kg
2 berenjenas medianas
3 cebollas medianas
1 diente de ajo grande
½ taza de caldo de pollo (puede ser de cubito)
Aceite de oliva
1 vaina de canela
1 hoja de laurel
3 ramitas de romero fresco
1 c/c colmada de pimienta negra
Sal

Preparación

Previamente, lavar bien las berenjenas con su piel, quitando el rabito verde, partirlas por la mitad y frotar con sal la parte interior.

Dejar con la sal 1 hora como mínimo, en un escurridor, con un peso encima, para que exuden el amargor. Una vez pasado ese tiempo, aclarar en abundante agua y secarlas bien.

En una cacerola grande, con aceite cubriendo el fondo y calentado a fuego mediano, se dora el pollo previamente cortado en octavos.

Una vez que estén dorados los trozos de pollo por todos los lados, se apartan y reservan.

Añadir aceite al que quedó en la cacerola y saltear las mitades de berenjenas a fuego fuerte, tratando de evitar que se peguen en el fondo (si es necesario, verter un poco más de aceite).

Una vez que las berenjenas estén doradas, retirar y colocar sobre papel de cocina para que se absorba el aceite de la fritura.

Siempre en la misma cacerola, pero con el fuego bajo, rehogar las cebollas cortadas en tiras finas, hasta que queden blandas y trasparentes.

Añadir a la cebolla el ajo picado muy fino, rehogar durante 1 minuto y verter encima el caldo de pollo. Incorporar la vaina de canela, la hoja de laurel y las ramitas de romero.

Incorporar al recipiente las berenjenas y los trozos de pollo con todo el jugo que haya soltado.

Cocinar durante 30 minutos con el fuego al mínimo y la cacerola tapada parcialmente.

Una vez que el pollo está tierno, retirar la canela, el laurel y el romero.

Sazonar con sal y pimienta al gusto y servir.

Cordero a la morisca

(*4 raciones*)

Ingredientes
750 g de carne de cordero
3 o 4 granadas, según si son de tamaño grande o mediano
1 c/c de comino
1 c/c de perejil seco
Aceite de oliva
Pimienta blanca
Sal

Preparación
En primer lugar, cortar la carne de cordero en trozos medianos, lavarlos bien, secarlos con papel de cocina y salar.

Después, verter los trozos de cordero en una cazuela con poco aceite y poner a sofreír a fuego medio. Remover constantemente hasta que la carne empiece a soltar su jugo.

A continuación, espolvorear con el comino y el perejil. Echar pimienta blanca al gusto.

Para terminar, mezclar bien la preparación e incorporar el zumo de las granadas que se habrá preparado previamente.

Dejar cocer a fuego muy bajo hasta que la carne de cordero esté tierna.

Conejo a lo pobre

(*4 raciones*)

Ingredientes
1 conejo grande
4 dientes de ajo
2 c/c de tomillo
1 c/c de canela en polvo
Aceite de oliva
Vinagre
Pimienta blanca
Sal

Preparación
Primero, limpiar bien el conejo, partirlo por la mitad en sentido longitudinal y ponerlo a dorar en la parrilla del horno previamente calentado.

Cuando se haya enfriado, cortar en trozos.

Aparte, calentar el aceite en una cazuela (de barro preferentemente) y sofreír los ajos pelados con una cucharadita de tomillo y una de canela.

Después, añadir a la cazuela el conejo troceado.

A continuación, incorporar a la preparación agua con un chorro de vinagre.

Cuando el conejo esté a punto, espolvorear con el resto del tomillo y la canela, y servir.

Liebre al estilo campero

(*4 raciones*)

Ingredientes

1 liebre
750 g de setas del bosque
4 lonchas de tocino
½ taza de salsa de tomate o tomate triturado
4 dientes de ajo
Harina para espesar
1 puñado o un manojo de hierbas (tomillo, orégano, etc.)
1 vaso pequeño de vino blanco
Aceite de oliva
Pimienta
Sal

Preparación

Previamente, cortar la liebre en cuartos u octavos. Condimentar con sal y pimienta.

En una sartén honda con aceite de oliva disponer los trozos de liebre con los ajos pelados, y las hierbas.

Luego, espolvorear la preparación con un poco de harina y verter el vaso de vino blanco por encima.

Apagar el fuego y dejar que la mezcla repose durante unos minutos.

Después, volver a poner la sartén a fuego moderado, echar el tomate y cubrir con agua.

Dejar cocer a fuego bajo.

Mientras tanto, dorar aparte el tocino en aceite y añadirlo junto con las setas unos 15-20 minutos antes de servir, cuando la carne de la liebre ya esté tierna.

Liebre en salsa de queso

(*4 raciones*)

Ingredientes

1 liebre
1 cebolla pequeña
4 dientes de ajo
1 trozo pequeño de queso curado
1 c/s de perejil picado
Aceite de oliva
1 c/c de pimienta negra molida
Sal

Preparación

Previamente, limpiar bien la liebre, secarla y cortarla en trozos.

En una cacerola con agua y sal, echar un chorrito de aceite y añadir la cebolla cortada en trozos pequeños, el perejil y media cucharadita de pimienta negra, que se pondrá a hervir.

Antes de llegar al punto de ebullición, agregar los trozos de liebre y dejar que se cuezan a fuego lento.

Aparte, freír los ajos pelados y, cuando estén tiernos, machacarlos en un mortero con el queso previamente rallado.

Cuando la liebre esté hecha, retirar y sofreír a fuego vivo en una sartén durante unos minutos, dándole vueltas para que la carne quede tostada.

Disponer los trozos de liebre en una fuente.

A la mezcla de ajos y queso se le echa un poco de caldo de la cocción de la liebre y se vierte como una salsa sobre ella, espolvoreando con el esto de pimienta negra antes de servir.

Berenjenas rellenas

(*4 raciones*)

Ingredientes

4 berenjenas
250 g de carne magra de cerdo
1 cebolla
Unas hojas de lechuga
2 huevos
Un poco de pan rallado
Aceite de oliva
Una c/c de comino
Pimienta blanca
Sal

Preparación

Primero, partir longitudinalmente las berenjenas por la mitad y ponerlas a asar.

Una vez que estén hechas, dejar que se enfríen y extraer la pulpa que debe picarse muy finamente.

Las pieles se reservan para que sirvan como recipientes del relleno.

En una sartén con un fondo de aceite, echar la cebolla picada muy fina y, cuando esté transparente, añadir la pulpa de la berenjena. Darle unas cuantas vueltas e incorporar la carne de cerdo picada y salpimentada. Aliñar con el comino a gusto.

Cuando la preparación esté lista con la carne completamente hecha, retirar del fuego y dejar enfriar.

A continuación, agregar los huevos bien batidos.

Rellenar las pieles de las berenjenas que se han reservado, con esa mezcla. En caso de que sobre relleno, se pueden hacer albóndigas pequeñitas con ella.

Colocar las berenjenas rellenas en una bandeja, con un poco de pan rallado espolvoreado por encima.

Para terminar, introducir en el horno precalentado solamente para darle un golpe de calor y que el huevo cuaje.

Servir en una fuente sobre un lecho de hojas de lechuga.

Berenjenas a la italiana

(*4 raciones*)

Ingredientes

2 berenjenas medianas
Harina (en cantidad variable según sea necesario)
1 diente de ajo triturado
1 cebolla mediana picada finamente
200 g de tomate triturado o salsa de tomate
Tres cuartos de taza de queso parmesano
Una taza de queso mozzarella
1 c/s de cebollino picado
2 c/s de pimiento picado
Aceite de oliva
½ taza de agua
½ c/c de orégano ½ c/c de albahaca
Pimienta
Sal

Preparación

Primero, pelar la berenjena y cortarla en rodajas de 5 mm de grosor.

Seguidamente, pasar cada rodaja por harina y dorarla con un poco en aceite.

Saltear la cebolla y el ajo hasta que estén transparentes, sin llegar a dorarse.

Luego, mezclar en un recipiente la salsa de tomate con la cebolla, el ajo, el pimiento bien picadito, el agua y condimentar con el orégano y la albahaca. Salpimentar.

En una fuente de horno previamente engrasada o forrada con papel para hornear, disponer capas de rodajas de berenjena alternadas con capas de salsa y el queso parmesano mezclado con la mozzarella.

Para terminar, hornear a 175 °C unos 35 minutos o hasta que la capa superior de los quesos se haya dorado.

Emparedados de berenjena

(*4 raciones*)

Ingredientes

2 berenjenas medianas
1 cebolla mediana
1 huevo grande
½ taza de queso curado rallado
½ taza de queso fresco o requesón
1 diente de ajo
2 c/s de perejil fresco
3 c/s de menta fresca
1 c/c de pimienta negra
Aceite de oliva
Sal

Preparación

En primer lugar, lavar y quitarles el rabo a las berenjenas pero sin pelarlas. Cortarlas en rodajas de aproximadamente 1 cm de espesor y pintarlas con aceite.

A continuación, precalentar el horno a 180 °C y colocar las rodajas de berenjena en la parrilla.

Dejar que se horneen durante unos 5 minutos y darles la vuelta para que se hagan del otro lado, la misma cantidad de tiempo.

En una sartén a fuego medio con un fondo de aceite, sofreír la cebolla, que antes se habrá picado muy fina. Una vez que esté trasparente, añadir el ajo, también bien picado, bajar el fuego y dejar freír 2 minutos más.

Seguidamente, echar en un cuenco el queso curado rallado, el queso freso, el huevo, el perejil, la menta, la pimienta negra y la sal. Batir todo muy bien hasta que quede una pasta fina y homogénea.

Aceitar una fuente de horno o cubrir el fondo con papel para hornear y colocar las rodajas de berenjena. Cubrir cada rodaja con la pasta de los quesos, el huevo, la menta, la pimienta negra y la sal.

A continuación, disponer otra capa de rodajas de berenjenas como si se hiciesen emparedados.

Hornear el tiempo necesario para que se doren y que el huevo cuaje.

Bocaditos de berenjena

(*4 raciones*)

Ingredientes

2 berenjenas medianas
1 cebolla mediana
2 dientes de ajo
2 granadas pequeñas
1 c/c de menta seca
1 c/s de perejil picado
Aceite de oliva
Azúcar
1 pellizco de pimienta blanca
Sal gorda

Preparación

Primero, lavar y secar las berenjenas, quitarles el rabito, cortarlas en rodajas y espolvorearlas con sal gorda. Tras 1 o 2 horas en sal, enjuagarlas bien y cortarlas en cuadraditos.

Después, extraer el zumo de las granadas y reservar.

En una sartén profunda, verter el aceite y echar la cebolla cortada en rodajas y los dientes de ajo, que se habrán picado antes. Remover durante unos minutos y añadir los cuadraditos de berenjena, la menta, el perejil, el azúcar y el pellizco de pimienta blanca.

A continuación, dejar cocer a fuego lento unos 20 minutos y añadir el zumo de las granadas.

Servir caliente.

Alboronía de berenjena y calabaza

(*4 raciones*)

Ingredientes

½ kg de berenjenas
½ kg de pimientos verdes para freír
½ kg de tomates
250 g de calabaza amarilla
1 cebolla grande
1 tacita de aceite de oliva
1 c/s de vinagre
1 c/c de pimentón dulce
Sal

Preparación

En primer lugar, pelar las berenjenas y la calabaza, y cortarlas en trozos no muy pequeños.

Seguidamente, lavar y partir los pimientos, quitarles las semillas y el rabito, y cortarlos en tiras.

A continuación, pelar y picar finos, por separado, la cebolla y los tomates.

Calentar el aceite en una cazuela amplia y freír el pimiento y la cebolla. Cuando empiecen a dorarse, agregar los tomates. Dejar rehogar y añadir las berenjenas y la calabaza. Luego, sazonar con sal e incorporar el pimentón. Remover todo el preparado y echar el vinagre.

Para terminar, tapar y cocer a fuego lento hasta que todo esté cocido, pero sin deshacerse.

Servir en una fuente amplia.

Paquetitos de repollo

(*4/5 raciones*)

Ingredientes
1 repollo blanco grande
½ kg de carne de ternera picada
1 tacita de arroz
2 cebollas
2 huevos
1 lata de tomate triturado
3 rebanadas de pan de molde sin corteza
2 c/s de azúcar
El zumo de 1 limón
Aceite de oliva
Pimienta
Sal

Preparación
Primero, separar las hojas de repollo y lavarlas muy bien. Llevarlas a hervor con agua para ablandarlas un poco y re-servar.

A continuación, lavar el arroz.

Sofreír una de las dos cebollas picada finamente en una sartén con aceite.

Mientras, quitar la corteza del pan, remojar en agua y exprimirlo.

Después, mezclar la cebolla, el pan, la carne picada y el arroz, y añadirles los huevos batidos.

A continuación, depositar porciones de esta mezcla en las hojas de repollo en la cantidad necesaria para que cada hoja pueda cerrarse en forma de paquetito, y sujetar cada uno con un palillo de dientes. Deben quedar bien cerrados para que durante la cocción no se escape el relleno.

Seguidamente, poner los paquetitos de repollo en una cacerola bien apretados entre sí.

Aparte, preparar una salsa con la otra cebolla bien picada, frita y añadirle el tomate cuando esté transparente. Después, condimentar con el zumo de limón, el azúcar, la pimienta y sal al gusto. Verter la salsa sobre los paquetitos de repollo y cubrir con agua.

Por último, llevar a ebullición y luego bajar el fuego al mínimo. Cocer durante 1 hora.

Kale al estilo oriental

(*4 raciones*)

Ingredientes
6-8 hojas de kale
4 ajos tiernos (ajetes)
1 c/s de almendras crudas laminadas
2 c/s de salsa de soja
2 c/s de salsa de tamarindo
1 c/s de aceite de oliva virgen
Pimienta negra molida
Sal

Preparación
Para empezar, lavar bien las hojas de kale. Luego, cocerlas al vapor durante 10 minutos, deben quedar firmes. Escurrir y reservar.

Después, pelar los ajetes y picarlos finamente. Ponerlos a freír en una sartén con aceite; antes de que se doren añadir la col y las almendras laminadas. Rehogar unos minutos a fuego medio, hasta que la verdura esté tierna y las almendras doradas.

Finalmente, verter en la preparación las salsas de soja y de tamarindo dándole unas vueltas a la mezcla durante unos minutos, para que se vaya integrando bien con la salsa.

Patatas en ajopollo

(*4 raciones*)

Ingredientes

750 g de patatas
12 almendras peladas
1 trozo de miga de pan duro mojado en vinagre de jerez
1 diente de ajo
4 c/s de aceite de oliva virgen
3 ramitas de perejil
1 hoja de laurel
5 granos de pimienta
Unas hebras de azafrán
Sal
4 huevos (opcional)

Preparación

En primer lugar, pelar las patatas y partirlas en cuadrados grandes.

Después, en una cazuela puesta al fuego, calentar un cuarto de litro de agua y echar la hoja de laurel, el perejil, los granos de pimienta y el azafrán.

Luego, agregar las patatas y un poco de sal, tapar y cocer a fuego lento.

Mientras tanto, majar en el mortero, por este orden, el ajo con un poco de sal, las almendras y la miga de pan. Seguidamente, incorporar un hilillo fino de aceite.

Desleírlo con un poco de caldo de la cocción de las patatas.

Cuando las patatas estén cocidas, retirar la cazuela del fuego y verter por encima la mezcla triturada del mortero.

Hay que evitar que la preparación hierva para que no se corte y quede espesa.

Si se quiere tomar el ajopollo como plato único, escalfar los huevos en la cazuela de las patatas, antes de añadir el triturado al caldo.

Pastel de carne y patata

(*4 raciones*)

Ingredientes
½ kg de patatas
½ kg de carne picada de ternera o de pollo
1 cebolla grande
2 huevos
2 c/s de queso emmental rallado
2 c/s de aceitunas verdes o negras sin el hueso
1 c/s de pasas de uva sin pepita
5-6 c/s de aceite de oliva
1 c/s de pimentón dulce
Pimienta
Sal

Preparación
Primero, hervir las patatas peladas en agua con sal.

Una vez hervidas, preparar un puré con las patatas, el aceite, 1 huevo y 1 clara, el queso y, salar a gusto si es necesario (el queso ya tiene sal). Reservar la otra yema.

Cuando se tenga un puré homogéneo y fino, disponer la mitad en una fuente de horno previamente forrada con papel de horno. Reservar la otra mitad.

A continuación, en una sartén poner a freír la cebolla finamente picada. Cuando esté transparente, agregar la carne picada y mezclar bien.

Una vez que la carne esté lista, retirar del fuego, mezclar con las aceitunas partidas a trocitos y las pasas de uva.

Seguidamente, condimentar con el pimentón, la pimienta y la sal.

Disponer la mezcla de carne picada encima de la capa del puré de patatas reservado en la fuente, dejando libre un borde fino a su alrededor.

A continuación, poner sobre la carne, el resto de puré de patatas uniendo por el borde a la capa inferior.

Para terminar, hornear a fuego moderado en el horno previamente calentado unos 45 minutos, poco antes pintar con la yema de huevo.

Dejar unos minutos más hasta que la yema cuaje y la superficie se vea dorada.

Budín de patata

(*4 raciones*)

Ingredientes
½ kg de patatas
1 cebolla grande
2 huevos
Aceite de oliva
Pimienta
Sal

Preparación
En primer lugar, picar la cebolla y freírla en aceite de oliva hasta que esté dorada.

Mientras, pelar las patatas y rallarlas con un rallador manual o en un robot de cocina.

Después, batir los huevos y añadir la cebolla frita, la patata rallada y condimentar al gusto.

A continuación, verter la preparación en un molde para hornear forrado con papel de horno. Introducir el molde en el horno, previamente calentado a 180 °C durante 10 minutos.

Hornear alrededor de media hora (dependiendo del horno puede estar hecho unos minutos antes o necesitar más tiempo). Verificar antes de sacar la preparación. La superficie tiene que estar dorada.

Variante
Con esta misma preparación se puede hacer unos buñuelos. Para ello, se tomarán cucharadas de la mezcla y se fríen en una sartén con aceite.

Menestra de legumbres y verduras

(*4 raciones*)

Ingredientes
400 g de alubias blancas remojadas desde la noche anterior
100 g de habas igualmente remojadas
100 g de guisantes
100 g de judías verdes
4 alcachofas
4 espárragos (2 blancos y 2 verdes)
1 zanahoria
1 nabo tierno
Unos trozos de cardo (puede ser de frasco)
2 cebollas medianas
2 dientes de ajo
1 huevo cocido
1 ramita de perejil
1 clavo de olor
1 tacita de aceite de oliva
El zumo de 1 limón
Sal

Preparación
Para empezar, escurrir y pasar por agua fresca las alubias remojadas. Volver a escurrirlas. Hacer lo mismo con las habas y reservar.

Incrustar el clavo de olor en una de las cebollas una vez pelada, y ponerla a cocer junto con las alubias, el perejil y 1 diente de ajo.

Seguidamente, preparar las alcachofas, separando las hojas más duras y luego cortando las puntas como hasta la mitad. Cocerlas en una cazuela con agua, sal, un chorro de aceite y el zumo del limón para que no se ennegrezcan. Estarán listas en unos 20 minutos a fuego lento. En cuanto estén cocidas, escurrirlas y reservarlas.

Después, cocer los guisantes, las habas, las judías verdes, los espárragos y la zanahoria. Escurrir y reservar el caldo.

Mientras, picar bien el otro diente de ajo y la otra cebolla y ponerlos en una cazuela de barro redonda –o de otro tipo, pero a ser posible ancha y baja– con aceite de oliva para freírlos. Cuando la cebolla esté transparente, rehogar el nabo, la zanahoria y el cardo cortados en trozos, excepto las alcachofas, durante unos minutos.

Cocer los espárragos aparte hasta que estén tiernos pero firmes.

Después, rehogar las alcachofas en aceite de oliva hasta que estén tiernas.

A continuación, apartar la cebolla, el perejil de la cocción y añadir las alubias ya cocidas a la preparación anterior, vertiendo por encima el caldo de las verduras cocidas.

Dejar que cueza a fuego suave.

Una vez que las legumbres estén en su punto, añadir la mitad de las alcachofas y cortar en láminas muy finas la otra mitad para decorar el plato. Repartir los espárragos por toda la superficie de la menestra en la cazuela y adornar con el huevo cocido cortado en láminas.

Para terminar, espolvorear por encima de la preparación el perejil picado.

Menestra con jamón

(*4 raciones*)

Ingredientes
1 kg de guisantes
½ kg de habas
6 alcachofas
1 lechuga
1 diente de ajo
2 huevos duros
100 g de jamón serrano
1 c/s de harina
Perejil
Clavo de especia
Pimienta
Unas hebras de azafrán
Sal

Preparación
Primero, limpiar todas las verduras, desechando las hojas verdes de la lechuga y las duras de las alcachofas, a las que se les cortará la parte superior de la corona y se las partirá por la mitad, de arriba abajo.

Después, cocer cada vegetal por separado, porque unos requieren más tiempo que otros.

Seguidamente, en una cacerola, freír en aceite, el jamón en trocitos con la cucharada de harina. Cuando ésta tome color, agregar las verduras y media taza de caldo, hecho con un concentrado en cubito. Hervir todo a fuego bajo.

Mientras, triturar en un mortero el diente de ajo asado, el perejil, un poquito de pimienta, el clavo de especia y las hebras de azafrán. Luego, verter la mezcla en la cacerola de la menestra procurando que se diluya bien en el caldo. Lleva a ebullición.

Antes de servir, partir en rodajas los huevos duros e incorporar.

Las verduras deben cocerse sin sal y no se sazona la menestra hasta que dé un hervor con el jamón, por si éste suelta mucha sal.

La preparación debe quedar con muy poca salsa.

Arroz con verduras

(*4 raciones*)

Ingredientes

200 g de arroz de la variedad bomba o similar
2 zanahorias
2 pimientos verdes y 2 rojos pequeños
2 tomates maduros
4 alcachofas
1 patata mediana
2 dientes de ajo
100 g de guisantes
100 g de judías verdes
100 g de habas tiernas
150 g de tallos tiernos de acelgas
1 ½ de caldo de verduras
6 c/s de aceite de oliva virgen
Azafrán ligeramente tostado
1 c/c de pimentón dulce
Sal

Preparación

Primero, lavar y raspar bien las zanahorias. Lavar los pimientos y eliminar los rabos y las pepitas del interior. Cortar esos vegetales, junto con las judías verdes y los tallos de acelga, en tiras longitudinales.

Después, pelar las alcachofas quitando todas las hojas duras y dejarles solamente el corazón. Cortarlas por la mitad, frotarlas con zumo de limón para que no se ennegrezcan.

Luego, escaldar los tomates para quitarles la piel.

Mientras tanto, pelar la patata y los ajos, trocear todo de forma menuda y reservar.

A continuación, disponer los ajos en una cazuela con el aceite a fuego medio. Una vez estén dorados poner a rehogar las judías y las acelgas.

Cuando se hayan ablandado un poco, añadir la patata, las zanahorias y los pimientos. Dejar pochar todas las verduras y, por último, añadir el tomate troceado.

Seguidamente, espolvorear con el pimentón, remover y añadir inmediatamente el caldo de verduras (o el agua) y sazonar al gusto.

Cuando la preparación llegue al punto de ebullición, agregar las alcachofas, las habas y los guisantes. Dejar cocer a fuego medio entre 18 y 20 minutos.

Por último, echar el arroz bien lavado para quitarle el almidón, el azafrán y dejar cocer sin tapar la cazuela hasta que el arroz adquiera el punto deseado. Debe quedar caldoso.

Arroz de la huerta en paella

(*4 raciones*)

Ingredientes
250 g de coliflor
2 pimientos rojos
100 g de judías verdes
50 g de guisantes desgranados
1 manojo de ajos tiernos (ajetes)
2 alcachofas
1 berenjena
2 patatas medianas
2 tomates maduros
4 dientes de ajo
400 g de arroz
3 tacitas de aceite de oliva
El zumo de 1 limón
Unas hebras de azafrán
Pimentón
Sal
3 l de agua

Preparación
En primer lugar, cortar en ramitos la coliflor, lavarla y escurrirla. Lavar también los pimientos, trocearlos y quitarles las semillas y el tallo.

En segundo lugar, despuntar las judías verdes, enjuagarlas y trocearlas. Pelar y trocear los ajos tiernos.

A continuación, limpiar de hojas duras las alcachofas, cortar las puntas y trocearlas poniéndolas en agua con zumo de limón.

Después, pelar y trocear la berenjena y las patatas.

Pelar y picar los tomates y los ajos.

Seguidamente, calentar el aceite en una paella de 45 cm de diámetro al fuego y freír por este orden: la berenjena y los pimientos. Sacar y reservar.

Luego, en el mismo aceite freír las patatas, la coliflor, las alcachofas, las judías verdes, los guisantes, los ajos tiernos y, por último, los tomates y los ajos picados.

Añadir una cucharadita de pimentón y 3 litros de agua caliente. Agregar un poco de sal y una pizca de azafrán y cocer a fuego medio unos 30 minutos.

Transcurrido ese tiempo, incorporar la berenjena y los pimientos reservados. Cocer todo durante 15 minutos más. Probar el punto de sal y rectificar si es necesario.

Luego, echar el arroz, repartirlo por igual en toda la superficie de la paella y cocer a fuego vivo durante los 10 primeros minutos e ir bajando el fuego gradualmente durante 8-10 minutos más. Probar unos granos para verificar el punto de cocción.

Por último, retirar del fuego, dejar reposar 5 minutos la preparación tapada con papel de plata o un paño y servir.

Arroz con habas y sepia

(*4 raciones*)

Ingredientes
1 kg de sepia
1 kg de habitas remojadas la noche anterior
6 tacitas de arroz
1 cebolla pequeña
1 pimiento rojo pequeño
1 tomate
2 dientes de ajo
1 vaso de vino blanco seco
1 vaso pequeño de aceite de oliva
Sal

Preparación
Para empezar, pelar la cebolla y los ajos, picarlos, y lavar y trocear el pimiento y el tomate para preparar un sofrito en una sartén con aceite.

Poner a cocer las habitas hasta que estén tiernas.

Después, limpiar la sepia y cortarla en tiras no muy finas.

Seguidamente, en una cazuela de barro sofreír en aceite de oliva las tiras de sepia, verter el vino y dejar cocer hasta que el vino se haya evaporado.

Agregar las habas escurridas, un vaso de agua, sal y el sofrito de las verduras.

Por último, añadir un vaso de agua y dejar cocer otros 10 minutos.

Hojaldre de setas

(*4/6 raciones*)

Ingredientes
2 láminas de masa de hojaldre
1 paquete de setas variadas congeladas
2 huevos
3 dientes de ajo
1 taza de salsa bechamel o un bric de bechamel hecha
Aceite de oliva
Pimienta
Sal

Preparación
Para empezar, forrar una fuente de horno con una de las láminas de hojaldre.

A continuación, pelar y picar los ajos y ponerlos a dorar en una sartén con aceite.

Cuando estén dorados, echar las setas sin descongelar, bajar el fuego al mínimo, tapar la sartén y dejar que se cueza.

A los 20 minutos, verificar que las setas estén tiernas o seguir cociéndolas; las setas sueltan mucho líquido, dejar cocer hasta que se haya evaporado todo. Una vez enfriadas, trocearlas finamente en una tabla de picar. Ponerlas en un cuenco y verter la bechamel.

Condimentar con sal y pimienta al gusto.

Seguidamente, echar esta mezcla encima de la lámina de hojaldre dispuesta en la fuente de horno, dejando libres los bordes.

Tapar con la otra lámina de hojaldre y cerrar los bordes de las dos láminas juntas.

Para terminar, introducir en el horno precalentado a 180 °C durante 20-30 minutos. Cinco minutos antes, pintar la superficie con el huevo batido.

Servir caliente.

Para la bechamel casera

Ingredientes
50 g de mantequilla sin sal
3 c/s de harina
2 tazas de leche
Nuez moscada
Pimienta
Sal

Preparación
Primero, poner a derretir la mantequilla en un cazo a fuego más bien bajo. Cuando esté líquida, agregar la harina removiendo con rapidez para que no se formen grumos.

Ir vertiendo la leche poco a poco y remover constantemente hasta obtener una consistencia ni demasiado líquida ni demasiado espesa.

Para terminar, quitar del fuego y condimentar con pimienta, sal y nuez moscada rallada o en polvo al gusto.

Primavera y verano

Ensalada de rábanos

(*2/3 raciones*)

Ingredientes

3 manojos de rábanos limpios
1 taza de nata para cocinar o de crema fresca
100 g de queso Roquefort
2 c/c de cebollino picado
½ c/c de sal
250 g de hinojo picado fino

Preparación

En primer lugar, batir la nata con el queso Roquefort hasta conseguir una consistencia homogénea. Añadir a la mezcla el cebollino, el hinojo y la sal.

A continuación, cortar los rábanos en rodajas o en palitos. Seguidamente, echar la salsa por encima.

Para terminar, enfriar en la nevera y servir muy frío.

Ensalada paraíso

(*4 raciones*)

Ingredientes

4 manzanas rojas grandes, peladas y cortadas en cubitos
1 taza de apio cortado en trozos pequeños
½ taza de nueces picadas
½ taza de mayonesa casera o envasada en cristal
1 c/c de zumo de limón
1 c/c de jengibre molido
Hojas de lechuga

Preparación

Primero, en un cuenco mezclar la mayonesa, el limón y el jengibre.

Seguidamente, añadir a la mezcla anterior la manzana y el apio.

Servir sobre un lecho de hojas de lechuga y espolvorear las nueces picadas.

Ensalada de colores

(3/4 raciones)

Ingredientes
2 patatas grandes
2 remolachas
1 calabacín verde
1 huevo duro
1 cebolla morada pequeña o media si es grande
Aceite de oliva virgen
Vinagre o zumo de limón
Sal

Preparación
En primer lugar, lavar bien las patatas y cocerlas con la piel. Después, lavar las remolachas y cocerlas. Luego, lavar bien el calabacín, desechar los extremos de ambos lados, cortar el resto con la piel en rodajas de 1 cm de grosor y cocer.

Cuando esté al dente, escurrir y pasar por agua fría.

Cuando las patatas y la remolacha estén cocidas, pasar también por agua fría para retirar la piel con mayor facilidad.

Una vez sin piel, cortarlas en rodajas del mismo grosor que las de calabacín y cortar en dados pequeños el huevo duro.

Después, mezclar todo en un bol o una ensaladera, aliñar al gusto con sal, aceite, vinagre o limón según las preferencias.

Puede aliñarse también con mayonesa.

Ensalada agridulce

(*4 raciones*)

Ingredientes
1 lechuga grande
1 manojo de berros o canónigos
1 taza de apio bien picado
1 naranja grande
1 c/s colmada de miel
1 taza pequeña de zumo de naranja
2 c/s de zumo de limón
Aceite de oliva
Pimienta negra recién molida
Sal

Preparación
En primer lugar, lavar muy bien las verduras y escurrirlas, evitando que quede agua en ellas, y disponerlas en una ensaladera grande.

En segundo lugar, trocear muy pequeña la lechuga y los berros, y añadirle el apio picado.

A continuación, pelar la naranja, quitándole todas las partes blancas y cortarla en trozos pequeños que se agregarán al resto de los vegetales de la ensaladera.

Después, en un bote con tapa verter la miel, añadir el zumo de naranja y el de limón, tapar el bote y agitar bien hasta que se consiga una mezcla homogénea. (Si fuese necesario, el bote puede ponerse al baño María para que al calentarse la miel se facilite la mezcla).

Seguidamente, incorporar al aliño de miel un chorro de aceite de oliva y sal al gusto.

Tapar nuevamente y volver a agitar hasta que todo esté bien mezclado.

Para terminar, verter el aliño sobre la ensalada y espolvorear con la pimienta negra antes de servir.

Ensalada de zanahoria

(4 raciones)

Ingredientes
½ kg de zanahorias
2 dientes de ajo grandes
1 ½ c/c de comino
1 c/c de azúcar
2-3 c/s de perejil fresco picado y hojas de perejil para decorar
Aceite de oliva
¼ de vaso de zumo de limón
Pimienta blanca
Sal

Preparación
Primero, lavar y raspar muy bien las zanahorias y ponerlas a hervir hasta que comiencen a estar tiernas, pero no del todo cocidas.

Retirar del fuego y sacar las zanahorias, que se rallarán, reservando el agua de la cocción.

Mientras, en una sartén con aceite de oliva a fuego medio bajo, sofreír los ajos bien picados y, cuando comiencen a dorarse, añadirles un poco de sal (no más de una cucharadita), la pimienta y el comino.

Luego, mezclar todo muy bien e incorporar el zumo del limón y el perejil picado.

Seguidamente, verter medio vaso del agua de la cocción de las zanahorias y llevar a ebullición.

Entonces, bajar el fuego al mínimo, continuando con la cocción unos 5 minutos más.

Por último, verter este caldo sobre las zanahorias ralladas, dejar enfriar hasta que esté a temperatura ambiente y decorar con ramitas de perejil.

Ensalada de alubias blancas con bacalao

(4/6 raciones)

Ingredientes
400 g de alubias blancas
½ kg de lomos de bacalao
1 cebolla
2 pimientos rojos
1 diente de ajo
1 huevo duro
Zumo de limón
Aceite de oliva
1 chorro de leche
1 lechuga roja
1 lechuga rizada
1 hoja de laurel
Sal

Preparación
Para empezar, cocer las alubias remojadas la noche anterior con agua, cebolla, sal y laurel. Dejar enfriar.

Después, poner agua con leche en una cazuela y agregar el bacalao.

Cuando se produzca al primer hervor, sacar con cuidado el bacalao y mezclarlo con las alubias cocidas y escurridas.

Seguidamente, disponer todo sobre un lecho preparado de las lechugas mezcladas y aliñar con una vinagreta hecha con el diente de ajo, el huevo duro, unas gotas de limón, aceite de oliva y un pimiento rojo picado menudo. Para terminar, adornar con tiras hechas con el otro pimiento.

Ensalada de garbanzos

(*4 raciones*)

Ingredientes
400 g de garbanzos remojados desde la noche anterior
2 huevos duros
2 cebolletas
Aceite de oliva virgen
Vinagre o zumo de limón
1 c/c de pimienta negra molida
Sal

Preparación
Primero, escurrir los garbanzos puestos a remojar. Lavarlos muy bien. Ponerlos a cocer en agua con sal.

Seguidamente, cocer los huevos y, cuando se hayan pelado y enfriado, picarlos en trocitos.

Pelar y picar las cebolletas finamente.

Cuando los garbanzos estén tiernos, escurrir y dejar enfriar a temperatura ambiente en un cuenco hondo.

Agregar a los garbanzos ya fríos, los huevos duros y las cebolletas.

Para terminar, aliñar al gusto con el aceite, el vinagre o el zumo de limón, y rectificar de sal.

Si se desea servir más fresquita esta ensalada, refrigerarla durante media hora antes de servir.

Variante
Se puede aliñar con mayonesa en lugar de con aceite, vinagre y sal, o con una vinagreta preparada con ajo picadito, perejil, aceite y vinagre.

Ensalada con aliño de granada

(*4 raciones*)

Ingredientes
1 lechuga de la variedad que se prefiera
1 cebolla grande
Unos tallos de apio
2 granadas
Aceite de oliva virgen
1 c/s de semillas tostadas de sésamo
1 c/c de pimienta blanca
Sal

Preparación
Primero, extraer el zumo de una de las granadas.

Segundo, cortar la lechuga y disponerla como un lecho en una fuente plana.

Después, incorporar, distribuyendo por encima, el apio y la cebolla picados finamente.

Diseminar sobre la preparación anterior los granos de la granada restante.

Por último, preparar un aliño con la sal, la pimienta, las semillas de sésamo, el zumo de la granada y el aceite. Verterlo sobre los vegetales y servir.

Ensalada de ventresca

(*4 raciones*)

Ingredientes

1 ventresca o ijada de bonito (parte delantera e inferior del pez)

4 tomates para la ensalada

Para el adobo

1 cebolla

2 dientes de ajo

Aceite de oliva

1 vaso de vino blanco

Zumo de limón

1 hoja de laurel

Tomillo

Sal

Para la vinagreta

Aceite de oliva virgen extra

Vinagre de vino o limón

Preparación

Primero, mezclar la cebolla y el ajo troceados picados muy finamente con el resto de los ingredientes indicados para el adobo.

La noche anterior, dejar en este adobo, cuidando que esté bien untada por todas partes, la ventresca.

Después, a cocer el pescado en el adobo y dejar hervir durante 10 minutos a fuego moderado.

Mientras tanto, preparar la vinagreta.

Dejar enfriar la preparación y sacar el pescado para limpiarlo de espinas y quitarle la piel. Desmenuzarlo en láminas grandes.

Después, cortar los tomates en rodajas y disponerlos en una fuente grande.

Seguidamente, distribuir las láminas de ventresca por encima del tomate.

Para terminar, aliñar la ensalada con la vinagreta.

Tomates rellenos de bonito

(*4 raciones*)

Ingredientes

4 tomates grandes y rojos
250 g de bonito fresco
4 c/s de arroz blanco o, mejor, integral cocido al dente
½ cebolla
1 cebolleta grande
1 pimiento verde
2 pimientos del piquillo cortados en 8 tiras, una vez que se haya asado y enfriado
2 hojas de lechuga
2 c/c de alcaparras
1 c/c de perejil picado y una 1 sin picar
1 hoja de laurel
1 rama de eneldo fresco o ½ c/c de eneldo seco
Aceite de oliva virgen
Zumo de limón
Sal

Preparación

Primero, cortar a los tomates una rodajita en la zona del rabito para vaciarlos dejando la suficiente carne como para que queden firmes y no se rompan. Salar por dentro y dejar reposar boca abajo para que suelten el jugo, durante 1 hora aproximadamente.

Después, poner el bonito junto con la hoja de laurel, la media cebolla, la rama de perejil, sal y un chorrito de aceite en agua fría. En cuanto hierva todo, retirar y dejar enfriar.

Luego, sacar el bonito, quitarle las espinas y la piel y desmenuzar en trocitos.

Seguidamente, picar las hojas de lechuga y la cebolla en juliana fina. Cortar también en un picadito muy fino el pimiento verde, el tomate y las alcaparras.

Después, mezclar el bonito, los vegetales cortados en juliana y el resto de las verduras picadas junto el arroz, previamente cocido.

Preparar una vinagreta con aceite y vinagre, añadirla el eneldo y humedecer la mezcla anterior con esta salsa.

Para terminar, rellenar los tomates, espolvorear encima de cada uno perejil picado, y adornar con las tiras de pimiento del piquillo.

Trucha al horno con naranja

(*4 raciones*)

Ingredientes

4 truchas grandes (una por persona)
1 naranja grande
1 cebolla
Unas hojas de escarola
2 dientes de ajo
2 c/s de nueces picadas
4 c/s de perejil fresco
Aceite de oliva
2 c/s de vinagre
Pimienta
Sal

Preparación

Primero, cortar la parte superior de la naranja y desecharla.

Extraer cuidadosamente las semillas, partirla en gajos, verterlos en un cazo y reservar.

A continuación, sofreír en una sartén la cebolla, finamente picada, a fuego lento hasta que comience a dorarse, añadir los ajos picados y remover durante 1 minuto más.

Revolver bien, incorporar el perejil, las nueces, el vinagre, un buen chorro de aceite, y salpimentar al gusto. Agitar la sartén con la preparación y quitarla del fuego.

Una vez fuera, en la misma sartén, incorporar las tres cuartas partes de los gajos de naranja.

Seguidamente, precalentar el horno a 200 °C y en una bandeja untada con una capa fina de aceite, ir colocando las truchas, previamente limpias, lavadas y con unas ligeras incisiones hechas con un cuchillo en el lomo. Luego, rellenar cada trucha con parte de la mezcla de la cebolla y los gajos de naranja.

Para terminar, cocer en el horno y, cuando las truchas estén en su punto, retirar y, si sobra salsa, echarla por encima y decorar con el resto de los gajos de naranja y un poco de escarola.

Truchas del monasterio

(*4 raciones*)

Ingredientes
4 lomos grandes de trucha
1 cebolla
Aceite de oliva
Perejil fresco
Hierbabuena
Pimienta
Comino en grano
Unas hojas de laurel
Sal

Preparación
En primer lugar, poner los lomos de trucha en un adobo hecho con aceite, sal, cominos, pimienta, laurel y cebolla, pelada y cortada en rodajas, durante 2-3 horas.

Pasado ese tiempo, sacar el pescado del adobo y freírlo. Reservarlo aparte en una fuente.

Por último, preparar una salsa con el aceite de freír las truchas, el perejil y la hierbabuena picados y echárselo por encima a las truchas antes de servir.

Trucha estilo alpujarras

(*4 raciones*)

Ingredientes

4 truchas
100 g de jamón curado picado en cuadraditos
2-3 migas de pan
2 piezas de hinojo fresco
1 c/c de comino
1 c/c de tomillo
Zumo de limón y de naranja
Sal

Preparación

Para empezar, limpiar las truchas y rellenarlas con una masa hecha con las migas de pan, el jamón picado a trocitos, el hinojo y las especias.

Después, precalentar el horno a 180 °C, y disponer las truchas en una fuente forrada con papel para hornear.

Cuando se hayan hecho, rociar el pescado con el zumo del limón y de la naranja.

Servir acompañando de hinojo cortado en rodajas o de una ensalada verde.

Buñuelos de pescado

(*4 raciones*)

Ingredientes
750 g de pescado blanco (merluza o pescadilla)
½ kg de patatas
2 cebollas medianas
3 claras de huevo
1 chorro de leche desnatada
1 c/s de perejil fresco
Pimienta blanca
Aceite de oliva virgen

Preparación
Para empezar, cocer las patatas peladas y lavadas en agua ligeramente salada.

Cuando estén cocidas del todo (pincharlas para determinar su grado de cocción), escurrirlas y dejar que se enfríen.

Mientras, triturar el pescado lavado, sin piel y sin espinas, en la batidora con un chorrito de leche desnatada para que se triture bien.

Unir el pescado triturado a las patatas y pasarlo todo por el pasapurés.

Una vez obtenida la mezcla, incorporarle el perejil picado y las cebollas muy bien picaditas –si se desea pueden rallarse– y remover con una cuchara para obtener una mezcla homogénea.

Después, montar las claras a punto de nieve e incorporarlas con suavidad al puré.

Salpimentar.

A continuación, formar bolas de puré a modo de buñuelos que se freirán luego.

Calentar el aceite de oliva en una sartén honda y, con el aceite muy caliente, ir echando los buñuelos de pescado, procurando que no se enfríe el aceite.

Si es necesario, añadir los buñuelos de 2 en 2 o de 3 en 3, pero tratar de que el aceite se mantenga siempre a la temperatura necesaria para formar inmediatamente una costra sobre el buñuelo que se eche; de este modo, el aceite fríe sin penetrar en el interior de la preparación.

Cuando los buñuelos estén dorados, sacarlos con la espumadera y escurrirlos en papel absorbente. Disponerlos en una fuente caliente.

Cuando los buñuelos estén todos fritos, presentar la fuente en la mesa acompañando con una ensalada de escarola.

Atún encebollado

(*4 raciones*)

Ingredientes

1 kg de atún fresco cortado en 2 filetes gruesos
1 cebolla mediana
6 dientes de ajo
4 ramitas de perejil
Una cuarta parte de nuez moscada rallada
1 vaso de aceite de oliva
1 vaso de vino blanco seco
2 hojas de laurel
1 pellizco de pimienta molida
Sal

Preparación

En primer lugar, poner el aceite en una cacerola y calentarlo. Apartar del fuego y dejar enfriar.

Una vez frío, añadir una capa de cebolla pelada y cortada en rodajas finas.

Introducir 3 dientes de ajo en la carne de los filetes de atún, presionando un poco, y disponerlos encima de las rodajas de cebolla. Luego, agregar el perejil sin picar, la nuez moscada rallada, la pimienta, las hojas de laurel en trocitos, el vino y salar al gusto.

A continuación, poner la preparación a hervir con tapadera y a fuego lento, cuidando que la cebolla quede tierna pero sin dorarse.

Una vez hierva, retirar del fuego y apartar el perejil, los ajos y el laurel, dejando solamente el atún por encima de la capa de cebolla. Se puede tomar caliente o frío.

Atún mechado

(*4 raciones*)

Ingredientes
½ kg de atún en un trozo
100 g de tocino fresco
½ cabeza de ajos
Aceite de oliva
½ l de vino blanco
6 granos de pimienta negra
Sal

Preparación
Primero, lavar el atún, quitarle la piel y dejarlo en agua fría durante media hora.

Mientras, pelar los dientes de ajo y cortar el tocino en dados.

A continuación, machacar en el mortero los granos de pimienta junto con los ajos.

Mechar el atún con el utensilio apropiado o con un cuchillo fino, e introducir en cada mecha trocitos de tocino intercalado con mezcla de ajos y pimienta.

Después, calentar el aceite en una cazuela y rehogar el atún.

Luego, agregar el vino blanco y un poco de sal.

Para terminar, tapar y cocer durante unos 20-30 minutos.

Dejar que se enfríe y servir.

Bacalao dorado

(*4 raciones*)

Ingredientes
250 g de bacalao desalado y desmigado
2 patatas medianas cortadas a la paja, caseras o de bolsa
250 g de cebolla
4 huevos
Aceite de oliva
Perejil fresco
Pimienta
Sal

Preparación
Para empezar, cortar la cebolla en juliana fina y poner a pochar en una sartén grande con aceite de oliva durante unos 10 minutos a fuego moderado.

Remover para que la cebolla no se pegue a la sartén ni se queme.

Mientras, batir los huevos en un cuenco con un pellizco de sal y reservar.

Cuando la cebolla esté transparente, añadir a la sartén el bacalao, mezclar bien y cocer a fuego fuerte durante unos minutos.

El bacalao se volverá opaco y, en ese momento, se agregan las patatas paja (si son caseras previamente fritas aparte) y se mezcla todo muy bien para que la preparación quede homogénea.

Después, verter los huevos batidos en la sartén y bajar el fuego al mínimo. Dejar cocer hasta que el huevo esté hecho pero jugoso.

Para terminar, condimentar con pimienta y sal al gusto. Servir bien caliente una ración en cada plato decorado con una ramita de perejil al lado.

Mero en papillote con verduras

(4 raciones)

Ingredientes
4 hojas de papel de aluminio del tamaño de un folio aproximadamente
4 lomos de mero de unos 150 g cada uno
2 calabacines medianos
1 cebolla
2 berenjenas
2 tomates
Aceite de oliva
Sal

Preparación
En primer lugar, pelar y cortar la cebolla en trozos pequeños, lavar el resto de los vegetales. Cortar los calabacines con piel en rodajas muy finas, desechando las puntas de ambos lados.

Luego, pelar las berenjenas y cortar también en láminas finas. Hacer lo mismo con los tomates.

A continuación, poner todo en una sartén en la que previamente se habrá calentado un chorro de aceite de oliva. Dejar que se ablanden las verduras a fuego medio durante unos 15 minutos, probar si están hechas; si aún están duras, dejar a fuego bajo con la sartén tapada unos 5 minutos más.

Si se prefiere, se pueden ablandar las verduras en el microondas aproximadamente la mitad del tiempo, en una cazuela apropiada.

Retirar y reservar.

Seguidamente, calentar el horno a 175 °C durante 10 minutos.

Mientras el horno se calienta, disponer 4 hojas de papel de aluminio del tamaño de un folio. Sobre cada una de las hojas, repartir las verduras que se han reservado.

Colocar por encima del lecho de vegetales de cada hoja de papel de aluminio, uno de los lomos de mero, previamente limpios, sin piel ni espinas.

Cerrar con cuidado las hojas de aluminio doblando varias veces los bordes para que retengan los vapores.

Después, disponer los 4 paquetes de papillote en una fuente para horno y hornear durante 15 minutos.

Resulta conveniente, antes de apagar el horno y retirar la preparación, debido a que no todos los hornos tienen la misma potencia, ni hornean en igual tiempo los de gas que los eléctricos, abrir con cuidado uno de los paquetes de papillote y verificar si el pescado está hecho y en el punto deseado. Esta comprobación puede llevarse a cabo incluso a los 10 minutos, porque el mero se hace enseguida y hay que procurar no pasarse, ya que quedaría seco.

La experiencia de cada persona, según sea su horno, servirá para que resulte perfecto.

Servir cada papillote sin abrir en cada plato, para que lo haga el comensal.

Salmón en salsa de puerros

(*4 raciones*)

Ingredientes
2 lomos de salmón fresco (cada uno partido por la mitad)
1 cebolla pequeña
2 puerros
1 *brick* de nata para cocinar
Un chorrito de vino blanco seco
El zumo de ½ limón
Pimienta negra molida
Albahaca
Tomillo
Sal

Preparación
Para empezar, hacer una salsa poniendo a cocer los puerros y la cebolla cortados en daditos pequeños en un poco de agua. Salpimentar y dejar cocer durante unos 20-25 minutos.

Mientras se va haciendo la salsa, forrar una fuente de horno con papel para hornear, disponer encima los lomos de salmón salpimentados, verter sobre el pescado el zumo de limón y espolvorear la superficie con un poco de tomillo.

A continuación, precalentar el horno a unos 200 o 225 °C, poner la fuente al horno y cocer a esa misma temperatura durante 15-20 minutos, dependiendo del grosor de los lomos de salmón.

Cuando la cebolla y los puerros estén listos, echarles por encima un chorrito de vino y dejar reducir un momento.

Luego, retirar del fuego, triturar la mezcla y añadirle la nata. Poner al fuego hasta que espese un poco.

Corregir de sal la salsa y, cuando alcance la consistencia deseada, añadir albahaca al gusto. Dejar cocer unos minutos más y retirar hasta presentar junto al salmón.

Cuando los lomos de salmón estén hechos, verter la salsa por encima.

Puede acompañarse de una ensalada de rúcula y aguacate.

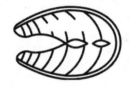

Salmón con pasta integral

(*4 raciones*)

Ingredientes

400 g de pasta integral de trigo duro, preferentemente corta como macarrones, lazos, etc.

1 kg de lomos de salmón fresco o puede utilizarse lomos congelados, pero sin piel ni espinas

1 vaso de vino blanco

Aceite de oliva

Tomillo y romero (frescos o secos)

Pimienta

Sal

Preparación

Primero, preparar la pasta según las indicaciones del fabricante (si se encuentra en el mercado pasta fresca integral también puede utilizarse).

La pasta debe estar lista cuando esté hecho el salmón en el horno.

Con un pincel de cocina pintar los lomos de salmón con aceite de oliva, salpimentar, espolvorear el tomillo y el romero, si son hierbas secas, o cortar las hojitas y repartirlas por encima del pescado, si son frescas.

A continuación, colocar el pescado así condimentado en el centro de una fuente para horno, previamente precalentado a 180 °C. La fuente debe ser lo suficientemente grande para que, cuando esté listo, se forme una corona de pasta alrededor del pescado.

A los 10 minutos de horneado, añadir el vaso de vino blanco para desengrasar la placa.

Darles la vuelta a los lomos de salmón, dejar en el horno 5 minutos más y retirar la bandeja.

Seguidamente, separar la salsa con un cucharón y reservar.

Poner los lomos de pescado en el centro de la fuente y disponer la pasta cocida a su alrededor.

Para terminar, regar la pasta con la salsa de la cocción del salmón y servir.

Escabeche de pescado

(*4/5 raciones*)

Ingredientes
1 kg de filetes de pescado sin piel y sin espinas
2 cebollas
2 zanahorias
8 dientes de ajo
4 hojas de laurel
Huevo y harina para rebozar los filetes de pescado
½ taza de aceite de oliva
½ taza de vinagre
1 taza de zumo de limón
1 vaso de vino blanco
Pimienta negra en grano
Sal

Preparación
Para empezar, condimentar los filetes de pescado con sal y pimienta al gusto. Pasarlos por harina y luego por el huevo batido. Freírlos en aceite de oliva bien caliente.

A continuación, pelar las cebollas y trocearlas. Lavar y raspar bien las zanahorias y cortarlas en rodajitas.

Después, poner en una cacerola las cebollas troceadas, las rodajas de zanahoria, los ajos pelados, las hojas de laurel, la pimienta en grano, el vino y un vaso de agua. Dejar cocer hasta que la cebolla esté tierna.

Agregar a lo anterior los filetes de pescado frito, el vinagre y el zumo de limón. Dejar cocer 10-15 minutos más.

Transcurrido este tiempo, retirar del fuego y dejar que la preparación se enfríe a temperatura ambiente.

Añadir el aceite y poner todo en un cuenco hondo o en un frasco de vidrio.

Para terminar, refrigerar y dejar en la nevera dos días antes de servir.

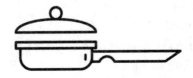

Pez espada en salsa de gambas

(*4 raciones*)

Ingredientes
4 rodajas de pez espada
18 almejas
18 colas de gambas
6 c/s de tomate frito
2 dientes de ajo
¼ de l de caldo de pescado
2 c/s de brandy
6 c/s de aceite de oliva virgen
2 c/s de perejil picado
Sal

Preparación
En primer lugar, calentar aceite en una sartén y freír las rodajas de pescado por ambas caras, retirar y reservar.

En la misma sartén freímos el ajo picado, agregando cuando esté dorado las almejas y las colas de gamba.

A continuación, añadir el tomate frito, el brandy y el caldo de pescado dejando cocer 5-6 minutos para que reduzca.

Luego, incorporar las rodajas de pez espada y dejar cocer unos 3 minutos más para que absorban la salsa. Salar al gusto si hace falta.

Por último, pasar a una fuente y espolvorear el perejil picado antes de servir en los platos.

Gambas al vino blanco

(*4 raciones*)

Ingredientes
16 gambas peladas (pueden ser langostinos)
1 cebolla pequeña
3 tomates maduros
½ vaso de vino blanco afrutado
Aceite de oliva
Pimienta
Sal

Preparación
Primero, poner a macerar durante 2 horas las gambas o los langostinos en el vino en una cazuela.

Después, cortar la cebolla en trozos pequeños y ponerla a sofreír en una sartén con aceite hasta que empiece a tener color tostado.

A continuación, agregar el tomate previamente picado y salpimentar al gusto. Remover hasta que esté hecha la salsa, verter un poco de agua y, una vez lista, pasar la salsa por un tamizador.

Luego, agregar la salsa a las gambas en maceración.

Mientras tanto, precalentar el horno a 180 °C y, cuando esté bien caliente, introducir la cazuela y hornear durante 10 minutos.

Servir inmediatamente.

Pizza de verduras

(*4 raciones*)

Ingredientes
1 calabacín verde grande
200 g de champiñones laminados o enteros
150 g de tomate frito
150 g de mozzarella rallada
l50 g de queso parmesano en polvo
2 huevos
Aceite de oliva
2 c/s de albahaca
Orégano
Sal

Preparación
Para empezar, mezclar en un cuenco el calabacín, previamente lavado con su piel, habiendo cortado los extremos, con el queso parmesano y los huevos. Dejar reposar la mezcla durante 15 minutos.

Luego, poner a calentar el horno a 180 °C.

Mientras tanto, limpiar bien los champiñones y laminarlos muy finamente si son enteros.

En una fuente para pizza o no muy honda, forrada de papel de horno, extender la mezcla del calabacín, el queso y los huevos, que es la base de la pizza. Hornear durante unos 8 minutos. Una vez listo, retirar la base de la pizza del horno, extender por toda la superficie el tomate frito y el resto de los ingredientes.

Para terminar, volver hornear y dejar cocer durante unos 10 minutos más.

Lasaña vegetal

(*4 raciones*)

Ingredientes
4-5 placas de lasaña que no necesiten cocción
1 cebolla
1 calabacín mediano
1 berenjena mediana
1 tomate grande
Salsa bechamel casera o de *brick*
Aceite de oliva
Sal

Preparación
En primer lugar, pelar y cortar la cebolla en cuadraditos pequeños, pelar y cortar el calabacín y la berenjena también en dados muy menudos.

Después, en una sartén con aceite a fuego medio saltear los vegetales. Dejar que cuezan hasta que estén tiernos y añadir el tomate cortado a daditos. Se debe mezclar y cocer todo bien. Cuando esté hecho, reservar.

Seguidamente, disponer en el fondo de una fuente de horno del tamaño apropiado una placa de pasta, colocar encima el relleno de vegetales y seguir haciendo lo mismo, alternando pasta y relleno hasta que se acabe la verdura. Tapar con una placa más de lasaña.

Luego, cubrir todo con la bechamel.

Para terminar, poner al horno, previamente calentado a 175 °C, y gratinar hasta que la superficie quede dorada y crujiente.

Para la bechamel casera

Ingredientes
50 g de mantequilla sin sal
3 c/s de harina
2 tazas de leche
Nuez moscada
Pimienta
Sal

Preparación
Primero, poner a derretir la mantequilla en un cazo a fuego más bien bajo. Cuando esté líquida, agregar la harina removiendo con rapidez para que no se formen grumos.

Después, ir vertiendo la leche poco a poco y revolver constantemente hasta obtener una consistencia ni demasiado líquida ni demasiado espesa.

Por último, quitar del fuego y condimentar con pimienta, sal y nuez moscada rallada o en polvo al gusto.

Tarta de calabacín

(*4/6 raciones*)

Ingredientes
1 lámina de masa quebrada
4 calabacines verdes
2 cebollas
4 tomates medianos
2 huevos
250 g de queso para untar
100 g de queso emmental o mozzarella rallado
2 c/s de albahaca fresca
Aceite de oliva
Nuez moscada
Pimienta
Sal

Preparación
Para empezar, disponer la masa en una fuente de horno, pincharla en varios sitios con un tenedor y distribuir algunos garbanzos por encima para que no se hagan burbujas al hornear.

Seguidamente, introducir en el horno, precalentado a 180 °C, durante 5 minutos. Retirar y reservar.

Después, cortar la cebolla en trozos menudos.

Lavar los calabacines y quitarles las puntas pero no la piel y cortarlos en cuadraditos pequeños. Trocear también los tomates.

Luego, en una sartén con aceite de oliva freír la cebolla troceada hasta que esté transparente y añadir los calabacines dándoles unas cuantas vueltas, bajar el fuego y tapar.

A los 10-15 minutos cuando los calabacines estén medio hechos pero firmes, agregar a la sartén los tomates y la albahaca. Salpimentar al gusto.

Cuando esté hecha la preparación, retirar del fuego y dejar que se enfríe.

En la misma sartén añadir el queso para untar y los huevos batidos. Mezclar todo bien aplastando con un tenedor para que quede bien unido. Rectificar de sal y pimienta, y condimentar con la nuez moscada.

Luego, disponer esta mezcla encima de la lámina de masa, dejando 1 cm en los bordes y doblar éstos hacia dentro.

Para terminar, espolvorear con el queso emmental o la mozzarella y hornear hasta que el queso se derrita y la superficie se vea dorada.

Esta tarta se puede tomar tibia o a temperatura ambiente.

Hamburguesas vegetarianas

(*4 raciones*)

Ingredientes
400 g de lentejas
120 g de cacahuetes pelados crudos
120 g de pan rallado
1 cebolla grande
1 diente de ajo
250 ml de leche de soja u otra vegetal pero no dulce
2 c/s de aceite de oliva
2 c/s de orégano
2 c/s de comino molido
Pimienta negra
Sal

Preparación
Si no se utilizan lentejas de la variedad «rápida», remojarlas la noche anterior. Escurrirlas, lavarlas bien y ponerlas a cocer en agua con sal.

Cuando estén cocidas, escurrir las lentejas y hacer un puré triturándolas en un robot de cocina; debe quedar bastante espeso. Volcar el puré en un cuenco.

Después, agregar al puré de lentejas los cacahuetes crudos y partidos.

Luego, incorporar las cucharadas de orégano, de comino, el ajo picado, la cebolla, también troceada finamente, el pan rallado, la leche de soja o de otra variedad vegetal, el aceite, y salpimentar al gusto.

Remover bien la mezcla con una cuchara hasta que todos los ingredientes queden bien integrados.

Seguidamente, pintar una plancha con aceite de oliva y ponerla al fuego fuerte.

Cuando esté bien caliente, ir cogiendo porciones de la mezcla, dándoles forma de hamburguesa y dorarlas por ambos lados.

Hamburguesas de champiñones

(*4 raciones*)

Ingredientes
400 g de champiñones
1 cebolla grande
3 dientes de ajo
½ taza de almendras crudas, sin piel y troceadas y pasas sin
    semilla
½ taza de pan rallado
Harina
Aceite de oliva
2 c/c de perejil fresco
1 c/c de pimienta negra molida
Sal

Preparación
Para empezar, picar los ajos y la cebolla y cocer en una sartén con aceite a fuego mínimo durante unos 10 minutos.

Mientras, limpiar bien los champiñones y cortarlos en trozos grandes.

Cuando la cebolla y los ajos estén transparentes, retirarlos y ponerlos en un cuenco.

En la misma sartén donde se sofrieron los ajos y la cebolla, echar los champiñones, sin agregar más aceite. Tapar la sartén para que los champiñones suelten líquido.

Cuando éstos estén tiernos, escurrirlos bien.

Luego, añadir los champiñones al cuenco de los ajos y la cebolla, y agregar los frutos secos, el pan rallado, el perejil, y la pimienta negra. Batir todo en el robot de cocina hasta obtener una mezcla homogénea y espesa.

Una vez lista la mezcla, espolvorear un plato con un poco de harina. Ir tomando trozos de la mezcla y formar las hamburguesas, pasarlas por la harina haciéndolas rodar en el plato, y depositarlas en una superficie también enharinada para que no se peguen.

Sin cambiar de sartén con aceite de oliva a fuego vivo hasta que esté bien caliente, freír las hamburguesas, con 2 minutos de cada lado es suficiente para que se doren.

Albóndigas de apio

(*3/4 raciones*)

Ingredientes
½ kg de apio
150 g de carne picada de ternera o cordero
¼ de taza de pan duro rallado
1 puñado de harina
1 huevo
2 tazas de caldo de carne de ternera o cordero, dependiendo de la carne que se vaya a utilizar
Aceite de oliva
Nuez moscada molida
Pimienta blanca
Sal

Preparación
En primer lugar, lavar y limpiar el apio, picarlo muy finamente y darle un hervor en agua con sal.

Después, escurrir el apio y mezclar en un cuenco con la carne picada, el huevo batido, el pan rallado y condimentar con la nuez moscada, la pimienta y la sal al gusto.

A continuación, amasar bien esta mezcla las manos y preparar albóndigas de unos 2 cm de diámetro, que se espolvorearán con harina.

Una vez hechas las albóndigas, freír en aceite bien caliente y, cuando están doradas por todos los lados, disponer en una cazuela.

Para terminar, verter por encima el caldo de carne y dejar cocinar unos 10 minutos a fuego lento.

Espinacas con garbanzos

(*4 raciones*)

Ingredientes
1 kg de espinacas frescas
1 taza de garbanzos previamente remojados la noche anterior
3 dientes de ajo
La miga de un panecillo
Aceite de oliva
Vinagre
Comino en polvo
Pimentón ahumado
Pimienta negra
Sal

Preparación
Para empezar, lavar bien las espinacas y escurrir los garbanzos del agua de remojo y enjuagarlos con agua limpia.

Ponerlos a cocer por separado, cuando estén tiernos, escurrir bien los garbanzos y dejar las espinacas con un poco de líquido también por separado.

Después, poner aceite a calentar en una sartén, y freír los dientes de ajo enteros y la miga de pan, cuando estén dorados los ajos, poner estos ingredientes en un mortero con un poco de vinagre y majarlos hasta que quede una pasta.

En el aceite en que se han hecho los ajos y el pan, poner al fuego las espinacas que se han reservado con el caldo de su cocción, darles unas vueltas, y sazonar con el pimentón, la pimienta negra y el comino, y agregarles la pasta que se ha hecho en el mortero y sal.

Añadir, por último los garbanzos, dejando que todo se fría bien mezclado unos minutos.

Servir caliente.

Croquetas de espinacas

(*4 raciones*)

Ingredientes
1 paquete de 400 g de espinacas congeladas
3 c/s de harina
1 huevo
50 g de mantequilla
Pan rallado
½ l de leche
Aceite de oliva
Nuez moscada
Pimienta
Sal

Preparación
Para empezar, echar en una sartén con aceite y sal las espinacas sin descongelar y cocer a fuego lento hasta que estén tiernas y se haya evaporado todo el líquido que suelten.

Cuando estén listas, picarlas en trocitos menudos y reservar.

En la misma sartén derretir la mantequilla y, cuando esté líquida, echar la harina poco a poco y removiendo para que no se hagan grumos. Cuando haya espesado, ir vertiendo la leche, siempre con el fuego bajo y removiendo bien la mezcla.

Una vez haya alcanzado el suficiente espesor, apagar el fuego y añadir las espinacas, condimentar con sal, pimienta y nuez moscada al gusto y volver a mezclar bien todo.

Esperar a que se enfríe la preparación y espese un poco más.

Luego, tomar trozos de la mezcla, formar las croquetas y pasarlas por huevo y pan rallado.

Para terminar, freír en una sartén limpia o en la freidora con aceite bien caliente.

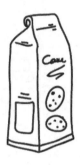

Alcachofas aliñadas

(*4 raciones*)

Ingredientes
8 alcachofas con su tallo
3 dientes de ajo
2 limones grandes
½ taza de perejil fresco picado
1 c/s de menta fresca picada
Aceite de oliva virgen
Sal

Preparación

Primero, limpiar bien las alcachofas con agua del grifo, introduciéndolas en un cuenco en el que quepan holgadamente. Cubrirlas con agua fría y agregar al agua el zumo de un limón y medio (reservar el medio limón restante) previamente lavado y con las cáscaras cortadas en trozos. De este modo, las alcachofas quedarán limpias y no se pondrán oscuras.

Dejar en ese líquido 15-20 minutos y escurrir las alcachofas.

Luego, quitar las hojas exteriores porque suelen ser duras, ya que, a medida que se van quitando, las interiores suelen ser más claras y blandas.

Cortar con un cuchillo o con unas tijeras de cocina los bordes de las hojas que se utilizarán. Abrir con cuidado el centro de cada alcachofa y retirar con los dedos unas pequeñas fibras de color púrpura, que no son comestibles, y desecharlas. Quitar la parte exterior del tallo (las partes comestibles de las alcachofas son el corazón, el interior del tallo y la parte de las hojas más próximas al corazón y al tallo).

Después, en una cacerola con cabida suficiente para que quepan todas las alcachofas poner unas junto a otras con las hojas hacia arriba.

Luego, verter por encima un chorro de aceite de oliva, 2 vasos grandes de agua y el zumo del medio limón que se había reservado.

A continuación, mezclar el ajo bien picadito con el perejil y la menta, e introducir un poquito de esa mezcla en el centro de cada alcachofa.

Seguidamente, darles la vuelta para que queden boca abajo y poner a cocinar a fuego alto, llevando la preparación al hervor y, luego, bajando el fuego al mínimo, durante 1 hora o hasta que las alcachofas estén tiernas. Tienen que alcanzar un punto en que se puedan pinchar con un tenedor pero sin que se deshagan.

Si durante la cocción faltara agua, añadir toda la que sea necesaria.

Servir en una fuente, rociando las alcachofas con el caldo en el que se han hecho.

Alcachofas con panecillos

(*4 raciones*)

Ingredientes

1 ½ kg de alcachofas (puede ser también la misma cantidad
   de corazones de alcachofas congelados)
250 g de pan rallado
8 huevos
1 diente de ajo
Perejil fresco
Aceite de oliva
Sal
Agua

Preparación

Primero, limpiar las alcachofas, partirlas por la mitad y aprovechar solamente los corazones o, si se han utilizado corazones de alcachofa congelados, darles un hervor.

Mientras tanto, hacer una masa con el pan rallado, los huevos, el ajo picado y el perejil.

Una vez lista la masa, hacer pequeñas bolitas y aplanarlas para que queden de un tamaño un poco mayor que las bases de los corazones de la alcachofa.

Freír los discos de pan rallado para tener los panecillos. Disponerlos en una fuente de horno forrada con papel para hornear. Encima de cada panecillo depositar un corazón de alcachofa.

Después, añadir agua, aceite y sal al gusto por encima de la preparación.

Para terminar poner en el horno, previamente calentado a una temperatura moderada unos 15 minutos; si la salsa quedara poco espesa, añadir un poco de pan rallado.

Servir caliente.

Aliño de espárragos trigueros

(*4 raciones*)

Ingredientes
2 manojos de espárragos trigueros
4 dientes de ajo
1 rebanada de pan
3 huevos
4 c/s de aceite de oliva
1 c/s de vinagre
1 c/c de pimentón dulce
Sal

Preparación
Primero, lavar y trocear los espárragos, quitándoles la parte leñosa.

Después, pelar los dientes de ajo.

Seguidamente, calentar el aceite en una cazuela y freír los ajos y la rebanada de pan.

Sacarlos y reservarlos.

Rehogar en el mismo aceite los espárragos.

Después, picar en el mortero los ajos y el pan, o pasarlos por la trituradora con un poco de agua. Verter la mezcla sobre los espárragos, agregar un poco más de agua y un poco de sal y vinagre.

Tapar y cocer a fuego medio durante 30 minutos aproximadamente. Ha de quedar con un poco de caldo.

Antes de servir, batir los huevos y agregarlos a la cazuela para que cuajen, revolviendo bien para integrarlos con los espárragos.

Sopa de espárragos trigueros al comino

(*4 raciones*)

Ingredientes

1 manojo grande de espárragos trigueros
1 cebolla pequeña
2 patatas pequeñas
2 dientes de ajo
1 huevo duro
4 rebanadas de pan de pueblo
¾ l de caldo de verduras (puede ser de cubitos)
Aceite de oliva
Azafrán en hebra
1 c/c de comino en polvo
Sal

Preparación

Para empezar, limpiar y cocer los espárragos. Cuando estén hechos, reservar y también reservar el agua de la cocción.

A continuación, rehogar la cebolla y, una vez blanda, añadir las patatas peladas y cortadas en trocitos pequeños, verter por encima un poco de agua de la cocción de los espárragos y el caldo. Dejar cocer hasta que las patatas estén tiernas.

Aparte, en una sartén, dorar los ajos, el pan y el comino en polvo.

Esa mezcla se maja en un mortero y se añade a la sopa junto con los espárragos y el huevo cortado en trocitos.

Una vez refrigerada, se puede tomar caliente o fría.

Salmorejo cordobés

(4 o 5 raciones)

Ingredientes
½ kg de pan de uno o dos días antes
2 kg de tomates maduros
4 dientes de ajo
2 huevos duros
4-5 huevos crudos
100 g de jamón serrano
Aceite de oliva
Sal

Preparación
En primer lugar, poner en un cuenco el pan troceado, los ajos, el aceite, los huevos crudos, el tomate y la sal. Triturarlo todo en un robot de cocina y, cuando se haya conseguido una mezcla homogénea, pasarla por un colador (chino) para que la crema quede más fina, Reservar en el frigorífico.

Para terminar, presentar el salmorejo en cazuelitas individuales, repartir el huevo duro picado echándolo por encima de cada una y el jamón serrano también picado en taquitos menudos.

Salmorejo de la campiña

(*4 raciones*)

Ingredientes
4 tomates grandes maduros
1 diente de ajo
8 rebanadas de pan integral «asentado» (duro o del día anterior)
1 tacita de aceite de oliva virgen extra
Sal

Para la guarnición
Cebolla y pimiento verde cortados a trocitos (cantidad al gusto)

Preparación
Primero, pelar con cuidado los tomates y el ajo. Introducirlos en la batidora o el robot de cocina hasta que estén bien triturados.

Ir añadiendo el pan integral en trozos pequeños de manera que se vaya integrando en la mezcla de tomate y ajo sin que queden trozos enteros.

Cuando todo esté bien triturado y se consiga una textura homogénea, verter el aceite en un hilo fino mientras se sigue batiendo si se ha utilizado este utensilio manual. Si se ha empleado un robot de cocina, echar el aceite de una sola vez y volver a encender el robot.

La crema resultante debe ser espesa, de una consistencia similar a una mayonesa. Para corregir la consistencia si no resulta la deseada, añadir más pan si está muy líquida o más aceite si está muy sólida.

Servir cada ración en un cuenco pequeño con trocitos de pan integral tostado por encima.

Junto al salmorejo se sirve aparte cebolla y pimiento verde muy picaditos, para que cada comensal incorpore la cantidad que desee a su cuenco.

También se puede acompañar de migas de atún en escabeche, huevo duro en trozos pequeños o taquitos de jamón serrano.

Sopa de tomate con hierbabuena

(*4 raciones*)

Ingredientes

1 ½ kg de tomates maduros
2 pimientos verdes de freír
3 dientes de ajo
4 ramitas de hierbabuena
½ l de caldo vegetal (puede ser de cubitos)
¼ l de aceite de oliva
Pan campero o cualquier pan de uno o dos días atrás

Preparación

Para empezar, hacer un sofrito con los ajos pelados y picados y los tomates cortados en trozos pequeños.

Mientras, preparar aparte el caldo de verduras.

Después, incorporar el pan e ir añadiendo el caldo al sofrito.

Cuando esté hecho, añadir la hierbabuena y los pimientos cortados en tiras finas.

Para terminar, deja reposar durante 10 minutos y servir.

Crema de tomate

(*4 raciones*)

Ingredientes
6 tomates medianos
1 cebolla
1 puerro
1 zanahoria
1 pimiento rojo
1 diente de ajo
25 g de arroz integral
Aceite de oliva
Pimienta
Sal

Preparación
Primero, lavar y trocear todos los vegetales en dados, rodajas o trozos pequeños, salvo los tomates que deben cortarse en cuartos. Echar todo en una cacerola con muy poca agua y añadir un chorro de aceite.

Una vez cocidos los vegetales, colar y dejar aparte el caldo.

Triturar la verdura y pasar por el pasapurés fino.

Después, salpimentar al gusto.

Añadir el caldo a la mezcla de vegetales según la consistencia deseada.

Esta crema puede servirse fría, una vez refrigerada, o caliente.

Tomates rellenos con frutos secos

(*4 raciones*)

Ingredientes
4 tomates grandes
50-60 g de pan rallado
80 g de piñones
60 g de pasas de uva
2 c/s de aceite de oliva
2 c/s de perejil fresco
Pimienta
Sal

Preparación
Para empezar, poner el horno a precalentar a 175º.

Después, lavar los tomates, secarlos, retirar los rabitos de la flor si lo tienen y cortarles la parte superior en una rebanada fina para que luego nos sirva de tapa. Reservar.

A continuación, vaciar el interior de los tomates y echarlos en un cuenco junto con el pan rallado, los piñones y las pasas, el perejil picado muy fino. Sazonar la mezcla con pimiento y sal.

Luego, disponer los tomates en una fuente para el horno y rellenar cada uno con una porción de la mezcla que se hecho. Taparlos con la parte superior que se ha cortado.

Seguidamente, regar con aceite los tomates e introducir la fuente en el horno.

Para terminar, cocer al horno a una temperatura moderada durante 20 minutos y servir calientes.

Borsch de remolacha

(*4 raciones*)

Ingredientes
1 cebolla grande
4 remolachas grandes
1 bote de crema fresco
El zumo de 1 limón
Azúcar
Sal

Preparación
Primero, pelar la cebolla y limpiar y pelar las remolachas.

Después, en una cacerola con suficiente agua. Echar la cebolla y las remolachas y cocer a fuego vivo.

Cuando llegue al punto de ebullición, retirar la cebolla que se desechará. Bajar el fuego y comprobar si las remolachas están tiernas. Si es así, retirarlas y dejar enfriar.

Mientras, dejar que el caldo siga cociendo a fuego mínimo.

Cuando las remolachas se hayan enfriado como para poder tomarlas en la mano sin quemarse, cortar una en rodajitas o trozos pequeños. Rallar las otras tres a mano o en un robot de cocina.

Después, verter nuevamente las remolachas en la cacerola.

Añadir el zumo de limón, 2 cucharadas de azúcar y sal al gusto.

La preparación debe tener un sabor agridulce y las cantidades de zumo de limón, sal y azúcar dependerán de las preferencias, más o menos dulce o más o menos ácida.

Las remolachas, al cocerse, adquieren un color marrón pero al echarle el zumo de limón se produce una reacción gracias a la cual la preparación adquiere un sugerente tono púrpura.

Seguidamente, dejar cocer 15-20 minutos y retirar del fuego.

Luego, dejar enfriar a temperatura ambiente y verter en una sopera o en el recipiente en el que se vaya a servir.

Para terminar, refrigerar en la nevera hasta que la sopa esté bien fría.

Servir una ración en cada plato hondo y en el centro de la mesa poner en una jarrita la crema fresca, que cada comensal añadirá a su gusto en el plato.

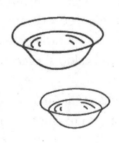

Ajo blanco con uvas

(*4 raciones*)

Ingredientes
250 g de almendras
2 dientes de ajo
150 g de miga de pan
1 racimo mediano de uvas
1 ½ tacita de aceite de oliva
1 c/s de vinagre de jerez
1 l de agua muy fría
Sal

Preparación
Primero, escaldar las almendras durante 2 minutos en agua hirviendo para que salte la piel.

Después, poner la miga de pan en remojo con un poco de agua y pelar los ajos.

A continuación, machacar en el mortero las almendras, los ajos, la miga de pan y sal.

Trabajar poco a poco con lo masa, añadiéndole aceite en un hilillo fino hasta conseguir una pasta esponjosa.

Agregar el vinagre, y seguir trabajando un poco más la mezcla, y añadir el agua bien fría. Mantener en la nevera hasta el momento de servir.

Pelar y quitar las semillas a las uvas.

Un momento antes de servir, probar el ajo por si es necesario rectificar de sal y de vinagre, agregar las uvas limpias y llevar a la mesa bien frío.

Sopa verde

(*4 raciones*)

Ingredientes
½ kg de espinacas cocidas
2 aguacates maduros
Zumo de limón
¾ l de caldo vegetal (puede ser hecho con cubitos)
Tabasco
Pimienta
Sal

Preparación
Al empezar, antes de cocerlas, apartar unas hojas de espinacas para decorar. El resto cocerlo en agua con sal, escurrirlas bien y picarlas en un robot de cocina.

Seguidamente, pelar y quitar el hueso de los aguacates y cortarlos en trozos pequeños. Rociarlos con el zumo de limón para evitar que se oxide.

Luego, añadir a las espinacas picadas en el robot los trozos de aguacate y el caldo.

Una vez obtenida una sopa cremosa, condimentar con sal y pimienta al gusto y verter en la preparación unas gotas de tabasco antes de servir.

Cazuela de arroz perfumado

(*4 raciones*)

Ingredientes
250 g de arroz de grano largo
1 cebolla morada
2 dientes de ajo
2 pimientos verdes pequeños de freír
1 zanahoria
1 calabacín
1 berenjena pequeña
1 tacita de guisantes (congelados)
Una tacita de maíz en grano (congelados o de bote)
¾ l de caldo de verduras (puede ser de cubitos)
Aceite de oliva virgen
1 c/c de cúrcuma
½ c/c de comino en polvo
½ c/c de canela en polvo
Pimienta negra molida
Sal

Preparación
Para empezar, pelar la cebolla y los dientes de ajo y picarlos muy finamente.

Luego, trocear los pimientos, la zanahoria y el calabacín en cubos no muy grandes.

Después, hervir los guisantes y el maíz, colar y reservar.

A continuación, verter el aceite en una cazuela y, cuando esté caliente, echar el ajo y la cebolla picados dejando que se cocinen a fuego bajo, hasta que estén transparentes.

Cuando esté listo, agregar los daditos de zanahoria y de pimiento verde. Freír durante 10 minutos más, a fuego suave, removiendo de vez en cuando.

Finalmente, añadir los dados de calabacín. Remover y dejar cocer unos minutos más.

Echar el arroz, previamente lavado, en la cazuela con los demás ingredientes y mezclar muy bien todo.

Sazonar con sal, pimienta, cúrcuma y comino.

Transcurridos unos 10 minutos, añadir los guisantes y el maíz, y verter encima el caldo de verduras. Cocer a fuego vivo durante 3 minutos, revolver la preparación para integrar todos los ingredientes y bajar el fuego.

Cocer 5-6 minutos más a fuego suave.

Una vez listo, retirar la cazuela del fuego y espolvorear el arroz con la canela por encima.

Después, introducir la cazuela en el horno, previamente calentado a 180 °C, y dejar cocer 10 minutos más.

Mientras el arroz se está horneando, comprobar que tiene líquido suficiente. Si está seco, vertemos más caldo o agua que se agregará poco a poco y repartiendo bien para que la cocción siga a la misma temperatura.

Cuando el arroz esté en el punto deseado, más tierno o más firme, retirar la cazuela del horno, cubrir con papel absorbente o con un paño.

Para terminar, dejar que repose 5 minutos antes de servir.

Arroz sabroso

(*3/4 raciones*)

Ingredientes

2 vasos de arroz integral (si se usa arroz blanco, es preferible el de la variedad basmati)
4 c/s de piñones
4 c/s de uvas pasas
Aceite de oliva
Sal

Preparación

Primero, poner en remojo los piñones. Lavar bien el arroz y escurrir.

Después, en una sartén poner a freír en aceite caliente la mitad de los piñones escurridos y las uvas pasas. Una vez que estén listos, los piñones tendrán que estar dorados, reservar.

Luego, poner el arroz lavado en una cacerola, añadir el resto de los piñones y verter el doble de su volumen de agua.

Salar al gusto y cocinar a fuego medio hasta que haya absorbido todo el líquido.

Servir, echando los piñones y las pasas fritas por encima y mezclar bien.

Aunque ésta es una guarnición para acompañar carnes o pescados, también puede tomarse como primer plato.

Pimientos turín

(*4 raciones*)

Ingredientes
4 pimientos rojos medianos
1 cebolla mediana
1 calabacín verde grande
1 docena de champiñones
Migas de pan
Una bola de queso mozzarella o 200 g de mozzarella rallada; puede usarse también otro queso para gratinar en la misma cantidad
2 c/s de aceite de oliva
1 c/s de albahaca fresca picada
Sal

Preparación
Para empezar, lavar bien y secar los pimientos. Cortarlos en sentido longitudinal, retirar las semillas y los filamentos y reservar.

Lavar y picar el resto de las verduras en trocitos pequeños, incluidos los champiñones.

Después, saltear la cebolla en una sartén con aceite de oliva. Cuando esté transparente, añadir el resto de las verduras y la miga de pan, previamente remojada en agua, y escurrida.

Integrar la miga con el resto de los ingredientes, salar y revolver la preparación cada tanto, dejando que se cocine hasta que todos los vegetales estén tiernos.

Dejar enfriar y, luego, rellenar con la mezcla obtenida las mitades de los pimientos.

A continuación, cubrir con el queso mozzarella u otro queso rallado para gratinar. Si se ha usado una bola de mozzarella, rallarla en casa.

Espolvorear con la albahaca por encima.

Para terminar, gratinar en el horno, previamente calentado a 200 °C, hasta que el queso se derrita o hasta que la superficie esté dorada.

Pimientos rellenos de pavo

(*4 raciones*)

Ingredientes
1 lata de pimientos del piquillo enteros, para rellenar
½ kg de pavo deshuesado, sin piel o pechuga de pavo
1 cebolla
2 dientes de ajo
2-3 rabanitos
2 c/c de tomate frito
Aceite de oliva
Sal

Preparación
Primero, escurrir los pimientos. Picar la cebolla y el ajo y ponerlos a pochar en una sartén con aceite de oliva a fuego suave.

Después, trocear la carne de pavo y blanquearlo en agua hirviendo durante 5 minutos. Dejar enfriar y picar con un cuchillo en pequeños trozos. Si se emplea la picadora, no picarlo demasiado.

Luego, añadir el tomate frito a la sartén, donde se están pochando la cebolla y el ajo. Apartar un poco de esta salsa y reservar. Seguidamente, agregar a la que ha quedado en la sartén la carne picada del pavo. Remover y dejar que se siga haciendo durante 5 minutos más. Salar al gusto.

Una vez cocido, apagar el fuego y dejar enfriar con la mezcla. A continuación, rellenar los pimientos con la mezcla obtenida. Cubrirlos con la salsa de tomate y cebolla que se reservó.

Para terminar, decorar con rodajas de rabanito.

Pollo a la naranja

(*4 raciones*)

Ingredientes
1 pollo grande, limpio y sin piel
4 c/s de mermelada de naranja
1 limón
6 c/s de aceite de oliva virgen
Pimienta
Sal

Preparación
Para empezar, salpimentar el pollo al gusto y frotarlo con el limón, que se habrá partido por la mitad.

Después, hacer una emulsión con el aceite de oliva y la mermelada de naranja.

A continuación, pintar el pollo con esa emulsión por dentro y por fuera.

Seguidamente, precalentar el horno a 180 °C.

Colocar el pollo en una fuente y hornearlo durante 1 hora a temperatura moderada.

Cada 10-15 minutos, volver a pintarlo con la emulsión hasta que quede dorado y crujiente.

Pollo con nueces

(*4 raciones*)

Ingredientes
1 pollo entero de unos 2 kg
1 cebolla grande
250 g de nueces peladas y picadas grandes
Unas cucharadas de pasas de uva sin semillas
Unas hojas de lechuga
Zumo de 2 limones
1 taza grande de agua hirviendo
Aceite de oliva
2 ramitas de canela
2 c/s de azúcar
Pimienta negra
Sal

Para decorar y como guarnición, lechuga, y nueces cortadas por la mitad y pasas sin semillas.

Preparación
Quitar la cabeza, las patas, las puntas de las alas y todas las entrañas del pollo. Lavarlo con abundante agua fría, secar y sazonar la piel y el interior con sal y pimienta.

En una cacerola honda, con un fondo de aceite, freír el pollo, dándole vueltas hasta que adquiera un tono dorado.

Cuando esté listo, retirar y reservar.

Después, picar la cebolla muy finamente e incorporar a la cacerola donde se hizo el pollo, removiendo muy bien para despegar los trocitos del ave que se hayan quedado adheridos.

Una vez rehogada la cebolla, ha de estar transparente, añadir las nueces picadas y freírlas hasta que adquieran una tonalidad marrón (2-3 minutos) el zumo de los limones y el agua hirviendo. También, agregar las ramitas de canela y el azúcar, y mezclar todo muy bien. Llevar este caldo a ebullición y bajar el fuego.

Después, añadir el pollo, que se ha reservado, y cocinarlo a fuego lento hasta que esté hecho.

Una vez cocinado, retirar el pollo y, si la salsa ha quedado muy ligera, puede espesarse un poco más llevándola nuevamente a ebullición o añadiendo una cucharadita de maicena y removiendo bien para que no se formen grumos.

Por último, verter esta salsa por encima del pollo y servirlo rodeado con la lechuga, las nueces a trozos o en mitades y las pasas de uva condimentado con sal a gusto.

Pollo marinado

(*4 raciones*)

Ingredientes

4 pechugas de pollo
Zumo de 1 limón
2 c/s de miel
1 c/s de perejil picado
1 c/c de canela en polvo
2 c/s de aceite de oliva
Sal

Preparación

Previamente, preparar una mezcla con el zumo de limón, la miel, la canela, el perejil y la sal.

Después, cortar cada pechuga de pollo en cuatro trozos. Mantener el pollo en el aliño durante 4-5 horas. Ir pinchando con un tenedor cada trozo para que penetre la marinada.

Pasado el tiempo de adobo, darles a las pechugas unas vueltas en una sartén con el aceite bien caliente.

A continuación, disponer el pollo en una fuente de horno y rociarlo con la marinada.

Calentar previamente el horno a 180 °C. Introducir la fuente con las pechugas marinadas y hornear a temperatura moderada; a medida que se van haciendo, con un cucharón pequeño volver a rociarlas con el aliño por encima.

Cuando estén doradas y crujientes, extraer del horno. Se pueden comer calientes o frías.

Ternera tonato

(*4 raciones*)

Ingredientes
1 redondo de ternera de aproximadamente 1 kg
1 lata pequeña de atún en aceite de oliva
5-6 anchoas en aceite de oliva
2-3 c/s de alcaparras
1 ½ taza de mayonesa
Unas hojas de lechuga
Sal

Preparación
Primero, poner a hervir el redondo de ternera en agua con sal. Dejar cocer el tiempo necesario hasta que la carne esté tierna pero firme (no debe deshacerse).

Mientras tanto, preparar una salsa con la mayonesa a la que se le agregarán las anchoas escurridas del aceite y picadas menudas, el atún escurrido del aceite y desmigajado, las alcaparras picadas menudamente.

Mezclar todo bien hasta que adquiera una consistencia homogénea pero con pequeños «tropezones» de los pescados y las alcaparras.

Cuando la carne esté hecha, retirar y dejar enfriar a temperatura ambiente.

Una vez fría, cortarla en rodajas finas.

Sobre una fuente de servir, preparar un lecho de hojas de lechuga.

Disponer encima las rodajas de carne y regar todo con la salsa.

Para terminar, refrigerar y servir muy frío.

Dulces, postres y tartas

Manzanas rellenas al horno

(*4 raciones*)

Ingredientes
4 manzanas rojas
2 c/s de nueces picadas
1 c/s de pasas de uva sin semilla picadas
½ tacita de miel
½ c/c de canela
Mantequilla
Yogur, gelatina o nata montada para acompañar

Preparación
Para empezar, lavar las manzanas con piel y secarlas. Cortar la parte superior (la del rabito) y, con un cuchillo u otro utensilio apropiado, extraer el corazón.

Rellenar las manzanas con la mezcla de las nueces, las pasas de uva y la canela.

Mientras, precalentar el horno a 180 °C.

En una fuente para horno verter agua (aproximadamente un dedo o 2 cm) y colocar las manzanas encima.

En el hueco que se dejó en la parte superior de la manzana, poner un poco de miel y un trocito de mantequilla.

Para terminar, llevar al horno y cocer durante 30-40 minutos.

Servir tibias o frías acompañadas de yogur, gelatina o nata montada.

Bizcocho de miel

Ingredientes

½ kg de harina

2 c/c de polvo para hornear

1 c/c de bicarbonato de soda

1 taza de azúcar

1 taza de miel

2 huevos

1 tacita de café bien cargado o de té

½ taza de aceite de semillas

2 c/s de nueces picadas o en mitades (opcional; en caso de no emplear las nueces, reemplazarlas por 2 c/s más de harina)

Preparación

Para empezar, mezclar los huevos con el azúcar, la miel, el café o té, y el aceite.

Luego, tamizar la harina con el polvo para hornear y el bicarbonato, agregar a lo anterior y mezclar bien.

A continuación, incorporar las nueces (si se van a emplear), pasadas por harina.

Después, verter la masa en una molde rectangular largo previamente aceitado y enharinado.

Calentar el horno a temperatura alta (200 °C) durante 5 minutos, introducir el molde y bajar a temperatura moderada unos 10 minutos y, luego, continuar horneando a baja temperatura, 40-50 minutos.

Pasado ese tiempo, probar a pinchar el pan de miel con un palillo de dientes, si sale seco, está hecho.

Variantes

Se puede incorporar al café o té, 3 clavos de olor que se retirarán al cabo de unos minutos.

También añadir el jugo y la ralladura de la cáscara de 1 limón o 1 naranja, 1 cucharada de canela en polvo o unas gotas de esencia de vainilla para perfumar la preparación.

Además de las nueces, puede echarse a la masa un puñado de pasas de uva o mezclar una manzana rallada.

Pan de higos

Ingredientes
½ kg de higos secos
½ vaso de almendras
½ vaso de nueces
2 c/s de piñones
1 c/c de anís matalahúva
1 rama de hinojo

Preparación
Primero, limpiar y hervir el hinojo en agua, hasta que ésta adquiera su sabor. Colar y reservar.

Seguidamente, escaldar las almendras, quitarles la piel y tostarlas al horno.

Después, picarlas muy finamente en un mortero junto con las nueces y los piñones.

Lavar bien los higos, quitarles los ramitos y picarlos. Añadirlos el resto de los frutos secos junto con las semillas de anís matalahúva.

A esta preparación se la va incorporando el agua en la que se hirvió el hinojo muy lentamente y se va formando una masa que debe quedar compacta.

Con ella se hacen bollos chatos de unos 6 cm, se envuelven en papel o en una gasa fina y se dejan secar al aire.

Cuando los bollos se hayan secado, pueden consumirse.

Dulce de membrillo

Ingredientes
3 membrillos frescos
800 g de azúcar
10 clavos de especia
5 ramitas de canela

Preparación
Previamente, lavar y secar los membrillos. Pelarlos y cortarlos en gajos. Hacer un hatillo con las pieles y envolverlas con una tela fina (gasa).

Seguidamente, disponer los gajos de membrillo y el hatillo con las pieles en una cacerola y cubrir con agua justo por encima.

Después, agregar el azúcar, los clavos y la canela en rama. Tapar la cacerola y cocer a fuego moderado.

Cuando los membrillos estén tiernos, bajar el fuego al mínimo hasta que espese el almíbar y tome un color vino.

Una vez frío, es un postre ideal para tomarlo con queso fresco.

Manzanas nevadas

(*4 raciones*)

Ingredientes
3-4 manzanas grandes
3-4 claras de huevo
2-3 c/s de azúcar
El zumo de ½ limón
2 c/s de nueces picadas

Preparación
Para empezar, pelar las manzanas y rallarlas a mano o triturarlas en un robot de cocina.

Después, batir las claras a punto de nieve.

Seguidamente, mezclar con cuidado las manzanas ralladas con las claras a punto de nieve.

Añadirles el zumo de limón y el azúcar.

Para terminar, decorar con las nueces picadas y servir.

(Es importante preparar esta receta poco antes de servirla).

Crema sambayón

(4/5 raciones)

Ingredientes
6 yemas de huevo
90 g de azúcar
150 cm³ de vino de Marsala o vino blanco dulce
Unas gotas de esencia de vainilla

Preparación
Primero, batir las yemas de huevo con el azúcar con una batidora o varillas de mano. Seguir batiendo hasta que el color de la mezcla sea claro.

Después, añadir el vino y unas gotas de esencia de vainilla. Seguir batiendo un poco más.

Para terminar, cocer la crema de huevo en al baño María batiendo continuamente hasta obtener una mezcla espesa.

Se puede tomar como postre caliente en invierno o dejar enfriar a temperatura ambiente y luego refrigerar para servir la crema fría en el verano.

Peras al vino

(*4 raciones*)

Ingredientes
8 peras maduras pero firmes
8 c/s de azúcar
La cáscara de 1 naranja o de 1 limón
½ l de vino tinto
1 ramita de canela
3 clavos de especia

Preparación
Previamente, pelar las peras y conservar el rabito.

A continuación, verter en una cacerola el vino junto con el azúcar, los clavos de especia, la cascara de naranja o limón y la ramita de canela a fuego vivo. Llevar al punto de ebullición.

Una vez hierva, agregar las peras a la mezcla de vino verificando que puedan sostenerse apoyadas en su base con la parte del rabito hacia arriba. Si no se sostienen, hacer un corte en la base para que sea posible.

Cocer 15-20 minutos, dependerá del grado de madurez y firmeza de las peras.

Una vez cocidas, retirar las peras y reservarlas.

Seguir cociendo el vino para que reduzca hasta alcanzar una consistencia de almíbar suave sin llegar al punto de caramelo. Luego, disponer las piezas de fruta en una fuente de servir y regarlas con el almíbar, que se habrá colado previamente.

Este postre puede servirse caliente acompañado de helado de nata o vainilla o con nata montada.

Las peras también pueden enfriarse a temperatura ambiente y, después, refrigerarlas y servirlas frías, dependiendo de la temporada en que se preparen.

Empanadillas de cerezas

Ingredientes

2 docenas de discos para empanadillas o hechos de masa
  casera

½ kg de fruta entre cerezas y ciruelas rojas

1 taza de azúcar o de miel

1 ½ taza de harina que contenga leudante

100 g de mantequilla

1 c/c de azúcar

1 huevo

1 tacita de café de leche

Masa casera

Primero, mezclar la harina con la mantequilla cortada a trocitos.

Cuando la mezcla esté homogénea sin tropezones de mantequilla, incorporar el azúcar.

Después, batir la leche junto con el huevo y añadir a la masa. Mezclar todo bien, la masa debe quedar blanda y elástica.

Por último, cortar la masa en 24 discos con ayuda de un molde o con un vaso. Tomar como referencia para el tamaño las empanadillas que se venden hechas.

Relleno

Quitar los corazones de la fruta y picarla a mano, ponerla en un cuenco y dejar que se macere en el azúcar o la miel la noche anterior.

Preparación

Poner encima y en el centro de cada disco una cucharada de fruta dejando libres los bordes. Cerrarlas de la forma habitual.

Luego, pintar con huevo la superficie de cada empanadilla (opcional).

Extraer la bandeja del horno y disponer las empanadillas.

Con el horno precalentado a 180 °C, cocerlas hasta que la masa esté dorada.

Pastel de zanahoria

Ingredientes

1 ½ taza de zanahoria

1 ½ taza de harina

1 ½ de bicarbonato de soda

750 g de azúcar

2 huevos

1 tacita de aceite de semillas

½ c/c de canela

¼ de c/c de clavo molido

¼ de c/c de jengibre

¼ de c/c de nuez moscada

Una pizca de c/c de pimienta de Jamaica

½ c/c de sal

1 puñado de pasas de uva y 1 ½ taza de nueces (opcional)

Cobertura tradicional

120 g queso de untar

¼ de taza de azúcar glass

Preparación

Para empezar, rallar finamente las zanahorias y luego disponer todos los ingredientes en un cuenco y mezclar con una cuchara o en un robot de cocina.

Después, forrar un molde redondo para horno de un diámetro de 24-26 cm con papel de horno y verter la preparación.

Seguidamente, precalentar al horno a 180 °C y hornear durante 1 hora; dependiendo del horno, puede estar antes o un poco después. Verificar cuando hayan pasado unos

40 minutos con un palillo de dientes y. si sale limpio, ya está.

Mientras tanto, preparar la cobertura batiendo el queso para untar con el azúcar glass y reservar en la nevera.

Una vez que la tarta se haya enfriado a temperatura ambiente, untar la superficie con la cobertura de queso.

Variante
En lugar de con la cobertura de queso, puede untarse con mermelada de alguna fruta ácida como un limón, una naranja, etc.

Buñuelos de plátano

Ingredientes
3 plátanos
2 huevos
5 c/s de harina de repostería
2 c/s de maicena
Aceite de maíz o girasol
1 taza de azúcar
Azúcar glass para espolvorear

Preparación
Para empezar, hacer un puré fino con los plátanos.

Seguidamente, batir los huevos e incorporarlos el puré de plátanos, junto con el azúcar, la harina y la maicena. Mezclar todo bien para que no se hagan grumos y quede una pasta homogénea y bien integrada.

En una sartén honda, calentar el aceite y, cuando esté bien caliente, ir echando cucharadas de la mezcla de 2 en 2 o de 3 en 3 a la vez. No llenar mucho la sartén y cuidar que el aceite no se enfríe. Darle la vuelta a los buñuelos para que se doren por ambos lados.

A medida que vayan estando hechos, retirar con una espumadera y depositar sobre papel absorbente.

Servir espolvoreados de azúcar glass.

Variante
Estos buñuelos también pueden prepararse con puré de manzana o bien con manzana rallada en una cantidad equivalente a la de los plátanos de esta receta.

Roscos de vino

Ingredientes
1 l de leche
4 huevos
1 kg de harina
½ kg de azúcar
1 vaso de vino dulce
2 c/s de canela
Aceite de maíz o de girasol

Preparación
Primero, preparar una masa con todos los ingredientes, menos la canela. Amasar hasta que quede elástica y no se pegue a los dedos, si hace falta, se añade un poco más de harina.

Una vez preparada, dejar reposar la mezcla durante 1 hora aproximadamente.

Después extenderla; debe tener unos 5 cm de espesor.

Luego, ir cortando tiras en forma longitudinal. Cuando se haya cortado toda la masa, hacer roscos con las tiras del tamaño que se prefiera.

Para terminar, freír los roscos en aceite bien caliente hasta que estén dorados.

Servir espolvoreados de canela. Se pueden tomar calientes o fríos.

Boniatos glaseados

Ingredientes
800 g de boniatos
90 g de mantequilla sin sal
1 taza de azúcar
½ taza de zumo de limón
½ taza de zumo de naranja
2 c/c de la ralladura de la cáscara de 1 limón
1 ramita de canela

Preparación
Previamente, pelar los boniatos y cortarlos en rodajas de 1 cm de grosor.

Colocar las rodajas de boniato en una fuente para horno y rociarlos con la mantequilla, antes derretida.

Después, añadirles el azúcar, el zumo de naranja y de limón y la ramita de canela.

Cubrir la fuente con papel de aluminio o con una tapa.

Seguidamente, introducir la fuente en el horno, previamente calentado a 180°C, durante 30 minutos.

Pasado ese tiempo, retirar la fuente del horno para quitar el papel de aluminio o la tapa que la cubre.

Retirar la rama de canela y espolvorear la preparación con la ralladura de la cáscara del limón.

Después, devolver la fuente al horno, sin taparla, y hornear 15-30 minutos hasta que la superficie esté dorada.

Los boniatos se pueden tomar calientes, acompañando cada ración con helado de vainilla, lo que hará un buen contraste. También, fríos, después de refrigerarlos.

Galletas especiadas de avena

Ingredientes

3 tazas de copos de avena
1 taza de harina
1 c/c de polvo para hornear
1 taza de azúcar moreno
2 huevos
¾ de taza de mantequilla
Un tercio de taza de leche
½ c/c de sal
1 c/c de canela en polvo
¼ de c/c de jengibre en polvo
¼ de c/c de nuez moscada rallada
¼ de c/c de clavo de especias molido

Preparación

Primero, mezclar en un cuenco todos los ingredientes secos, con excepción de las especias y la sal.

Añadir, por este orden, la leche, la mantequilla ablandada o derretida y los huevos. Antes de hacer una masa homogénea, incorporar la sal y las especias. Unir todo y dejar en la nevera hasta el día siguiente.

Sacar de la nevera y volcar el contenido del cuenco en una superficie enharinada.

Ir haciendo bolitas de masa no más grandes que una nuez y depositarlas aplanándolas en una fuente de horno previamente forrada con papel para hornear.

Para terminar, precalentar el horno a 180 °C y cocer durante 15 minutos en total. A mitad del horneado, dar la vuelta las galletas.

Gratén de frutas

Ingredientes
3 kiwis
1 mango
3 yemas de huevo
4 c/s de azúcar
1 vaso de nata líquida
1 copita de brandy

Preparación
Previamente, pelar los kiwis y cortarlos en rodajas. Pelar el mango y cortarlo también en rodajas.

Después, disponer las rodajas de fruta en una fuente de horno.

Aparte en un bol, mezclar la nata, los huevos, el azúcar y el brandy.

Por último, verter la crema obtenida por encima de la fruta y gratinar al horno 3-4 minutos. Servir caliente.

Postre de fruta variada

Ingredientes

150 g de harina

1 c/c de polvo para hornear

150 g de azúcar

150 g de mantequilla a temperatura ambiente

3 huevos

La cáscara y el zumo de½ limón

½ kg de la fruta variada de verano que se prefiera (cerezas, uvas, albaricoques, melocotones, etc.)

1 sobre de azúcar vainillada

Preparación

Primero, batir la mantequilla con el azúcar hasta que estén bien integradas.

Después, añadir los huevos y el resto de los ingredientes, tamizando la harina, con excepción de las frutas.

Luego, untar un molde con mantequilla y verter en él la masa obtenida.

Mientras, precalentar el horno a 180 °C, preparar las frutas, quitar los pipos a las cerezas y partirlas por la mitad, quitar las semillas a las uvas y partirlas también, cortar los albaricoques y melocotones pelados, quitarles los huesos y cortarlos en láminas finas.

Seguidamente, distribuir las frutas por encima de la masa, y hornear a una temperatura moderada durante media hora, aproximadamente, según el horno.

Cinco minutos antes de retirar el molde del horno, espolvorear la superficie del postre con el azúcar vainillada.

La fruta tiene que quedar casi oculta entre la masa.

Helado de frutos secos

Ingredientes

8 ciruelas pasas sin hueso
8 orejones de albaricoque
3 c/s de pasas sin semillas
12 ciruelas confitadas
3 huevos y 3 claras
200 g de azúcar
4 c/s de azúcar glass
1 trozo de cáscara de naranja

Preparación

Previamente, poner en remojo la fruta seca durante 1 hora.

Después, en una cacerola, cocer el azúcar removiendo todo el tiempo hasta que se dore.

Escurrir la fruta y añadirla al azúcar. Remover bien y verter medio litro de agua por encima.

Seguidamente, cocer la mezcla a fuego suave durante 30 minutos.

Pasado ese tiempo, retirar la cacerola del fuego, verter en un cuenco y dejar que la mezcla se enfríe a temperatura ambiente. Después, triturar con el minipimer.

Una vez triturado, incorporar las guindas, la cáscara de naranja bien picadita y las yemas de huevo.

A continuación, montar las claras a punto de nieve, se agrega el azúcar glass y se sigue batiendo hasta que las claras estén firmes.

Para terminar, mezclar las claras a punto de nieve cuidadosamente con la fruta. Guardar en el congelador hasta que se solidifique la preparación.

Tarta Cecilia

Ingredientes

1 ½ taza de harina

½ c/c de polvo para hornear

1 taza de azúcar

5 huevos

¾ de taza de aceite de semillas

El zumo de 1 naranja

La ralladura de la cáscara de 1 naranja y de 1 limón

3 plátanos

3 manzanas

1 puñado de nueces troceadas y pasas de uva sin pepitas mezcladas

Unas gotas de esencia de vainilla

Preparación

Primero, preparar una masa con la harina tamizada junto con el polvo para hornear.

Una vez hecha la masa, verter el aceite en ella.

Después, añadir las yemas de los huevos y mezclar todo bien con una cuchara de silicona.

Luego, echar el zumo de naranja y la ralladura de la naranja y el limón.

A continuación, batir las claras a punto de nieve. Incorporarlas con cuidado.

Separar una tercera parte de la masa y reservarla. Las otras dos terceras partes disponerlas en una fuente aceitada y enharinada.

Introducir la fuente en el horno, previamente calentado a 180 °C, durante 15 minutos.

Transcurrido ese tiempo, extraer la fuente del horno y cubrir con rodajitas de plátano. Pelar las manzanas, cortarlas en cuadraditos y disponerlas sobre las rodajas de plátano. Encima de la fruta fresca, esparcir las nueces y las pasas.

Cubrir con el tercio de la masa que se ha reservado.

Por último, devolver la fuente al horno y dejar que se haga a baja temperatura durante 45 minutos más o hasta que, al pinchar con un palillo de dientes, salga seco.

Dejar que se enfríe a temperatura ambiente antes de servir.

Budín de frutos secos

Ingredientes

1 taza de harina
1 taza de azúcar
4 huevos
300 g de pasas rubias o negras sin semillas
200 g de nueces
200 g de avellanas o almendras, o una mezcla de ambas.
Zumo de limón
Unas gotas de esencia de vainilla

Preparación

Primero, batir los huevos con el azúcar y añadir poco a poco la harina tamizada. Perfumar con unas gotas de esencia de vainilla.

Añadir a lo anterior las nueces, las avellanas o las almendras trituradas y las pasas.

Esta cantidad de preparado alcanza para repartirlo entre 2 moldes de 35 cm de largo, 6 de alto y 6 de ancho.

Una vez dispuesta la preparación en el molde, presionar con fuerza para que quede bien compacta.

Con el horno precalentado a 180 °C, introducir el molde cubierto con papel de aluminio, que se retirará a los 15 minutos. Dejar que se hornee durante 45 minutos o una hora más. Transcurrido ese tiempo, extraer y dejar que se enfríe a temperatura ambiente.

Luego, guardar en el congelador hasta el día siguiente para que se corte mejor.

Volcar el budín congelado sobre una superficie plana y cortar en rodajas muy finas.

Tarta de limón

Ingredientes
2 ½ tazas de harina leudante
1 ½ taza de azúcar
250 g de mantequilla
5 huevos y 3 yemas
La corteza rallada y el zumo de 3 limones
2 c/s de extracto de limón

Cobertura
½ taza de zumo de limón
2 c/s de azúcar glass

Preparación
Primero, mezclar en un robot de cocina todos los ingredientes con excepción de los de la cobertura.

Después, precalentar el horno a 180 °C. Forrar con papel para hornear un molde cuadrado de 28 cm de lado y disponer en él la masa.

A continuación, hornear durante 50 minutos, pero verificar 10 minutos antes con un palillo de dientes si estuviera hecha o, quizá, necesite una hora, dependiendo del horno.

Mientras tanto, preparar la cobertura mezclando la media el zumo de limón con el azúcar glass.

Extraer la tarta y, cuando aún está caliente, practicar agujeros por toda la superficie con un instrumento romo no muy grande, similar a un palillo chino. Seguidamente, verter por encima la cobertura que se extenderá por la superficie de la tarta y se introducirá en los agujeros que se han hecho y dejar enfriar a temperatura ambiente.

Bocaditos de almendra

Ingredientes
250 g de almendra cruda y sin piel molida
¼ de c/c de sal
250 g de azúcar
4 claras de huevo
1 c/c de zumo de limón
1 c/c de agua de azahar

Preparación
Previamente, en un cuenco grande batir con batidora eléctrica las claras de huevo con la sal hasta que estén muy espumosas. Después, ir agregando 2-3 cucharadas de azúcar, y batir nuevamente cada vez que se agregan hasta alcanzar el punto de nieve.

A continuación, rociar la mezcla con el zumo de limón y el agua de azahar.

Por último, incorporar la almendra molida.

Precalentar el horno a 150 °C; forrar la bandeja del horno con papel para hornear y disponer cucharadas grandes de la mezcla obtenida, dándoles una forma redondeada como si fueran albondiguillas. Cuidar de dejar entre cada una 2-3 cm de distancia porque aumentarán con el calor.

Hornear durante tres cuartos de hora, aproximadamente; por fuera los bocaditos deben quedar crujientes y por dentro blanditos. Una vez horneado, enfriar a temperatura ambiente y ya se pueden comer.

Esta cantidad de ingredientes es suficiente para 2 bandejas de horno. Si no se consumen todos los bocaditos, conservarlos en un recipiente hermético.

Pastel de queso tiamar

Ingredientes
1 kg de requesón o queso ricotta
1 bote de crema fresca de ¼ de kg
1 ½ taza de azúcar
2 c/s de fécula de maíz (maicena)
4 huevos
Unas gotas de esencia de vainilla

Cobertura
Mermelada al gusto

Preparación
Primero, mezclar los huevos con el azúcar batiendo bien (puede ser en una batidora eléctrica o en un robot de cocina) para que se integren los dos ingredientes.

Luego, añadir el queso, la crema y la maicena. Perfumar al gusto con esencia de vainilla.

Seguidamente, precalentar en el horno a 175 °C.

Para terminar, verter la preparación en una fuente forrada con papel de horno o previamente untada con mantequilla y espolvoreada con una capa fina de harina.

Poner esa fuente en un recipiente un poco más grande con agua hasta la mitad de la altura de la fuente para hornear.

Hornear al baño María durante una hora u hora y cuarto, aunque dependerá de cada horno. La superficie debe quedar dorada y, al probar con un palillo de dientes, éste debe extraerse seco.

Después, dejar enfriar a temperatura ambiente.

Una vez enfriado, untar la superficie con una mermelada de frutos del bosque, de fresas o moras o la que se prefiera.

Refrigerar, este pastel es más rico cuanto más frío se tome.

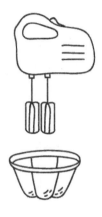

Pan dulce

Ingredientes

700 g de harina tamizada

50 g de levadura de cerveza

200 g de azúcar

½ taza de leche tibia

150 g de mantequilla a temperatura ambiente

4 huevos para la masa, y uno para pintar

250 g de fruta variada confitada cortada en trozos pequeños

Cerezas confitadas, cáscara de naranja confitada y medias nueces para decorar

50 g de nueces en trozos pequeños

50 g de almendras crudas sin piel en trozos pequeños

100 g de pasas de uva sin semillas

Una copita de brandy

1 c/s de agua de azahar

Preparación

En primer lugar, disolver la levadura en un cuenco con la leche tibia.

A continuación, poner a macerar las frutas confitadas en el brandy.

Después, disponer la harina en forma de corona, hacer un hueco en el centro y echar allí la mantequilla y el azúcar. Mezclar todo con una cuchara, hasta que la harina esté grumosa.

Volver a disponer la masa obtenida en forma de corona y agregar en el hueco de la corona la levadura fermentada en la leche, el agua de azahar y 4 huevos de uno en uno.

Mezclar para obtener una masa suave que no se pegue a los dedos, añadiendo harina si fuera necesario.

Una vez hecha la masa, dejarla tapada con un paño para que se eleve hasta el doble de su tamaño.

Aparte, pasar por harina las frutas maceradas en el brandy.

Cuando la masa esté al doble de su tamaño, incorporar los frutos secos y las frutas confitadas.

Amasar y luego separar la masa en 2 o en 3 partes (dependiendo del tamaño y la cantidad de los panes que se quiera obtener).

Poner a leudar nuevamente hasta que, otra vez, la masa separada en 2 o 3 partes adquiera el doble de su tamaño.

Seguidamente, pintar cada pan con huevo batido y decorar con la fruta confitada y las medias nueces.

Depositar en la bandeja del horno, previamente untada con mantequilla y enharinada, teniendo en cuenta que la masa del pan dulce seguirá creciendo, de modo que no se puede poner varias masas muy cerca una de la otra. Es preferible hornearlos de uno en uno.

Por último, precalentar el horno a 180 °C y cocer durante aproximadamente 40 minutos a una temperatura moderada o hasta que, pinchando con un palillo de dientes, éste salga seco.

Postre de café y chocolate

Ingredientes
7 huevos
200 g de azúcar
200 g de nueces o almendras
125 g de chocolate
½ taza de café negro muy concentrado
Mantequilla y harina para untar el molde de horno
Nata montada (opcional)

Preparación
Primero, batir las yemas con el azúcar en un cuenco hasta que quede una mezcla espumosa.

Agregar a lo anterior las nueces partidas en trozos pequeños o las almendras crudas sin piel también troceadas.

Aparte, disolver el chocolate en el café caliente y añadirlo al resto de los ingredientes. Mezclar para integrar muy bien todo.

Para terminar, precalentar el horno a 180 °C. Untar un molde con mantequilla y espolvorear harina por encima. Verter la preparación y hornear a una temperatura moderada durante 30-35 minutos.

Si se desea, una vez que el postre se haya enfriado a temperatura ambiente, puede cubrirse la superficie con nata montada con azúcar antes de guardar en la nevera.

Servir muy frío.

Pasta frola

Ingredientes

½ kg de harina
250 g de mantequilla sin sal
150 g de azúcar
4 yemas de huevo
La ralladura de la cáscara de 1 limón
3 c/s de vino blanco
½ kg de carne de membrillo

Preparación

Para empezar, hacer una masa con la harina, la mantequilla, las yemas y la ralladura de la cáscara del limón. Amasar, estirar la masa, reservando una pequeña parte para hacer un enrejado en la parte superior. Con la mayor parte de esa masa forrar un molde redondo para horno, previamente untado con mantequilla y espolvoreado con harina.

Después, cortar en tiras de 1 cm de ancho y con la longitud del diámetro del molde de la masa que se ha apartado y reservarlas.

Seguidamente, presionar con los dedos la masa que se disponga en el molde, para que quede bien adherida al fondo y dejar un reborde superior alrededor. Hacer un puré con la carne de membrillo mezclada con el vino y esparcirlo sobre la masa del molde. Con las tiras hacer un enrejado encima uniendo los extremos de las tiras con el borde de la masa.

Para terminar, cocer en el horno, previamente calentado a 180 °C unos 30-40 minutos, dependiendo del horno.

Está más buena si se prepara el día anterior al que se va a tomar.

Variantes

Otro relleno puede prepararse con un bote de melocotones en almíbar de 400 g también hechos puré con el vino. O con una mermelada al gusto, de ciruelas, fresas, etc.

Tarta de manzana

Ingredientes
250 g de harina leudante o harina común de repostería
2 c/c de polvo para hornear
250 g de azúcar
1 taza de aceite de semillas
4 huevos
1 c/c de extracto de vainilla
Azúcar para espolvorear

Para el relleno
1 kg de manzanas ácidas peladas y sin el corazón cortadas
en rodajas muy finas
4 c/s de azúcar
1 c/c de canela en polvo
Cáscara rallada y el zumo de 1 limón

Preparación
En primer lugar, en un cuenco grande hacer el relleno con las manzanas, el azúcar, la canela, la cáscara rallada y el zumo de limón. Reservar.

En otro cuenco, batir los huevos y el azúcar en una batidora eléctrica hasta que adquiera espesor y un tono amarillo claro.

A continuación, verter el aceite en la mezcla anterior y batir nuevamente.

Después, agregar la harina poco a poco, o la harina y el polvo para hornear mezclados y unas gotas de extracto de vainilla. Seguidamente, mezclar bien todos los ingredientes hasta obtener una pasta fina y homogénea.

Mientras, precalentar el horno a 180 °C.

En un molde rectangular de unos 23 por 32 cm, echar la mitad de la masa.

Disponer encima la mitad de las manzanas preparadas para el relleno y cubrir con la otra mitad de la masa. Repartir el resto de las manzanas por encima de la superficie y espolvorear con azúcar.

Después, hornear durante una hora u hora y media, dependiendo del horno, hasta que la masa esté dorada y las manzanas tiernas.

Si se dora demasiado rápido y corre el riesgo de quemarse la superficie, cubrirla con una hoja de papel de aluminio.

Cuando la tarta esté hecha, dejarla enfriar a temperatura ambiente y cortarla en cuadrados.

Conclusiones

En la actualidad, son muchas las personas que necesitan modificar su alimentación, lo que es básico, junto con otros hábitos saludables, para mejorar la calidad de vida.

Las nuevas rutinas cotidianas que las familias han ido incorporando en las últimas décadas han llevado al abandono prácticamente total de la ingestión de una dieta saludable, elaborada con productos de cultivo cercano, de temporada, rica en frutas y verduras y pobre en grasas y carbohidratos nocivos.

Esa práctica de una dieta equilibrada, la hemos desechado para adoptar la comida rápida, precocinada, con un exceso de sal, azúcar y grasas saturadas, a lo que nos hemos acostumbrado rápidamente, porque a eso nos ha llevado el moderno ritmo de vida, un ritmo vertiginoso en el que desarrollamos múltiples actividades, lo que nos genera falta de tiempo para pensar y planificar una alimentación basada en pautas sanas y beneficiosas.

Pero todo ello nos ha «pasado factura»; ha supuesto que nuestro metabolismo se vea sometido a desequilibrios y desórdenes que acaban por generar una serie de trastornos y dolencias —las llamadas «enfermedades de la abundancia»— como ya se ha comentado anteriormente: desde el sobrepeso y los altos índices de azúcar y grasas en sangre, con su resultado de diabetes e hipertensión, hasta las enfermedades neurológicas como el párkinson o alzhéimer, respiratorias como el asma, e incluso algunas tan serias como los tumores cancerosos.

La buena noticia es que con la práctica del ayuno intermitente podemos revertir esa situación, porque los ayunos propician un cambio metabólico.

Tanto si el objetivo es estético, en busca de la pérdida de peso para deshacerse de esos kilos de más que nos hacen sentir incómodos con nuestro cuerpo, como si lo que nos proponemos es conseguir una mejor calidad de salud y de vida, el ayuno intermitente es un gran aliado.

Esta práctica alivia los síntomas de muchas enfermedades, corrige los índices elevados de las toxinas en el organismo, ayudándonos a deshacernos de ellas, y aun si decidimos hacerlo aunque no tengamos ningún problema de salud, ni nos propongamos la mejora de nuestro aspecto físico, igualmente nos aportará beneficios, porque estaremos siguiendo esa máxima tan positiva y protectora, que ayuda a tener una larga y buena vida: MÁS VALE PREVENIR QUE CURAR.

También es muy importante tener claro que –a diferencia de otras dietas o formas de alimentación– el ayuno intermitente no consiste en prescindir de algunos alimentos y comer únicamente otros. Siempre dentro de un estilo de alimentación variada y saludable, la clave no consiste en *qué* ni en *cuánto* comer, sino en *cuándo* comer y *cuándo no*.

Índice